AtV

Theodor Fontane wurde am 30. Dezember 1819 im märkischen Neuruppin geboren. Nach Lehre und Staatsexamen Approbation als »Apotheker erster Klasse«. 1849 gab Fontane den Beruf auf und etablierte sich als Journalist und freier Schriftsteller. 1850 Heirat mit Emilie Rouanet-Kummer. Mitglied des literarischen Vereins »Tunnel über der Spree«. 1855-1858 London-Aufenthalt, u. a. als »Presseagent« des preußischen Gesandten. Zwischen 1862 und 1882 erschienen die »Wanderungen durch die Mark Brandenburg«. Neben seiner umfangreichen Tätigkeit als Lyriker, Kriegsberichterstatter und Reiseschriftsteller war Fontane zwei Jahrzehnte Theaterkritiker der »Vossischen Zeitung«. In seinem 60. Lebensjahr trat er als Romancier an die Öffentlichkeit. Dem ersten Roman »Vor dem Sturm« (1878) folgten in kurzen Abständen seine berühmt gewordenen Romane und Erzählungen sowie die beiden Erinnerungsbücher »Meine Kinderjahre« und »Von Zwanzig bis Dreißig«. Fontane starb am 20. September 1898 in Berlin.

Nach den »Berliner Frauenromanen« (Aufbau Taschenbuch Verlag 1995) erschließen die fünf Bände »Kriminal- und andere Fälle« einen weiteren charakteristischen Bereich Fontanescher Erzählkunst.

In vielfacher Gestalt geht der Tod in dieser Erzählung um: als natürliches Geschehen, als gewaltsames Ende, als herbeigesehntes Verlöschen. Unter dem Spruch »Ewig und unwandelbar ist das Gesetz« vollzieht sich das Schicksal des angesehenen und vermögenden Baltzer Bocholt, der beim Tod seiner Frau zum erstenmal den »Unbestand alles Irdischen« an sich selber erfährt. Das ins Haus genommene Kind wächst heran. Mit seinem Hang zum Träumen und Sichsehnen weckt das Mädchen die leidenschaftlichen Empfindungen des Sohnes wie die zärtlichen Gefühle des Vaters. Dieser, dessen Stolz erlittene Kränkungen nicht verwinden kann, erliegt der Begierde der Eifersucht. Am Ende ist die Familie ausgelöscht, die Frau aber, die ungewollt die Katastrophe von Ellernklipp verursacht hat, überlebt das grausige Geschehen und findet in ihrem Sterben ganz zurück zu ihrem Wesen, das in Bild und Traum das Wirkliche hinter sich läßt.

Theodor Fontane

Ellernklipp

Nach einem Harzer Kirchenbuch

Aufbau Taschenbuch Verlag

Grundlage für Text und Anhang:
Theodor Fontane, Romane und Erzählungen in acht Bänden.
4. Auflage, Aufbau-Verlag, Berlin 1993, Band 3,
Bearbeiterin: Anita Golz

ISBN 3-7466-5272-3

2. Auflage 1997
Aufbau Taschenbuch Verlag GmbH, Berlin

Umschlaggestaltung Torsten Lemme
unter Verwendung eines Fotos von August Sander,
»Forstbeamter«, ca. 1912/13

Satz LVD GmbH, Berlin
Druck und Binden Clausen & Bosse, Leck
Printed in Germany

Erstes Kapitel

Hilde kommt in des Heidereiters Haus

In einem der nördlichen Harztäler, in Nähe der Stelle, wo das Emmetal in das flache Vorland ausmündet, lagen in den sechziger Jahren des vorigen Jahrhunderts Dorf und Schloß Emmerode; jenseits des Dorfes aber, einige hundert Schritte weiter talaufwärts, wurd ein einzelnstehendes, hart in die Bergwand eingebautes Haus sichtbar, das in seiner Front ein paar Steinstufen und eine Vorlaube von wildem Wein und über der Tür ein Hirschgeweih zeigte. Hier wohnte Baltzer Bocholt, ein Westfälinger, der in jungen Jahren in Kur-Trier als Soldat gedient hatte, späterhin aber nach Emmerode gekommen und um seiner guten Führung willen erst ein gräflicher Heidereiter und einige Jahre später, durch Heirat mit des alten Erbschulzen Aleswant einziger Tochter, ein über seinen Stand hinaus vermöglicher Mann geworden war. Er hatte nun Haus und Hof und Amt und Frau, dazu den Respekt in Dorf und Schloß, und ging stolz und aufrecht einher und freute sich seines Glückes, bis er nach einer elfjährigen friedfertigen Ehe zum ersten Male den Unbestand alles Irdischen an sich selbst erfahren mußte. Die Frau starb ihm plötzlich und ruhte jetzt – seit zwei Monaten erst – an der Berglehne drüben, die, dreifach abgestuft, auf ihrer untersten Stufe den von Mauer und Stechpalmen umfaßten Kirchhof, auf ihrer mittleren die kleine Kapellenkirche zum Heiligen Geist und auf ihrer höchsten das zacken- und giebelreiche Schloß der alten Grafen von Emmerode trug.

Es war im September und der Heidereiter eben von Ilseburg zurück, wohin er sich, um ein eisernes Gitter für das Grab seiner Frau zu bestellen, in aller Frühe schon begeben hatte, als er Pastor Sörgels alte Doris über die

Straße kommen und gleich darauf in den Flur seines Hauses eintreten sah.

»Nun, Doris, was gibt's?«

»'nen Brief vom Herrn Pastor.«

Und der Heidereiter, der noch in seinem Staatsrock war und eben erst Miene machte, den Hirschfänger abzulegen, nahm ihr den Brief ab und las ihn, nachdem er sich mit einem Anfluge von Wichtigkeit ans Fenster gestellt hatte. »Die Muthe Rochussen ist diese Nacht gestorben, und ihr Kind ist bei mir. Ich wünsche mit Euch vertraulich darüber zu sprechen und sehe demnächst Eurem Besuch entgegen.«

Baltzer Bocholt klappte das Papier wieder zusammen und ließ mit seinem »ergebensten Empfehl« zurücksagen, daß er sich gleich die Ehre geben und vor Seiner Ehrwürden erscheinen würde, bei welchem Titel, als ob ihr derselbe mit gegolten hätte, Doris einen Dankesknicks vor dem Heidereiter machte. Dieser aber sah ihr nach und beobachtete von seinem Fenster aus, wie sie, statt über den Brückensteg, über die sechs Steine ging, die durch den Bach gelegt waren, und eine Minute später in dem Vorgarten der halb schon unter den Kirchhofsbäumen versteckten Pfarre verschwand.

Inzwischen hatte des Heidereiters Magd oder, um ihr ihre volle Ehre zu geben, die stattliche Person von über dreißig, die seit dem Tode der Frau dem Hauswesen vorstand, ein Frühstück aufgetragen. Aber Baltzer Bocholt setzte sich nicht, weil ihn der Brief doch unruhig und neugierig gemacht hatte, und keine halbe Stunde, so ging er auf die Pfarre zu, strich gewohnheitsmäßig über das große runde Kratzeisen hin, trotzdem seine Sohlen so sauber und trocken waren wie der Weg, den er gekommen, und trat in den Flur.

Und gleich darauf auch in die Studierstube des Pastors Sörgel.

Er war oft in dieser Stube gewesen, und der Friede, der darin weilte, hatte mehr als einmal zu seinem Herzen gesprochen. Aber doch nie so wie heute. Die Wanduhr ging, und die dicke Schwanenfeder kritzelte hörbar über das Papier; in die Nähe des Fensters aber war ein Schemelchen gerückt, auf dem ein Kind saß, das in einer großen Bilderbibel blätterte.

Der Alte legte die Feder nieder, reichte dem Heidereiter die Hand und sagte zu dem Kinde: »Hilde, du kannst nun in den Garten gehen und dir pflücken, was du willst. Und kannst auch die Bibel mitnehmen. Aber sei vorsichtig und mache keinen Fleck.«

Das Kind tat, wie ihm geheißen, und nur die Bibel ließ es zurück. Nicht aus Trotz, wohl aber aus Respekt.

»Lieber Bocholt«, nahm der Geistliche das Wort, als Hilde gegangen war, »ich hab Euch rufen lassen. Ihr wißt, was es mit der Muthe war, aber ich denke, wir geben ihr ein gutes und ordentliches Begräbnis und fragen nicht erst lange.«

Baltzer nickte zustimmend.

»Aber«, so fuhr der Alte fort, »da haben wir nun die Hilde. Wohin mit ihr? Ihr kennt die Gräfin und wißt, wie's drüben steht, oder sagen wir, wie's im Herzen der Gnädigen aussieht; ihr Stolz wird größer sein als ihr Mitleid, und sie wird ihre Hand abziehen und sich's zurechtlegen in ihrem Gewissen. Denn es gibt immer Gründe für das, was wir wünschen ... Aber Ihr, Baltzer Bocholt, *Ihr* wäret der Mann. *Ihr* könntet's! Und es wär ein christlich Werk.«

»Es fehlt die Frau, Herr Pastor. Eben komm ich von Ilseburg und habe das Gitter bestellt.«

»Es fehlt die Frau. Wohl. Aber sie wird Euch nicht immer fehlen. Ihr seid noch rüstig und werdet drüber hinkommen; und das weiß ich, es sind ihrer viele ...«

»Glaub's nicht, Ehrwürden.«

»Und wenn *nicht*, so seid Ihr der Mann, der mit einem Blick besser erzieht als drei Frauen ... Aber seht nur«, und er wies auf das Kind, das draußen zwischen den schon hoch in Samen geschossenen Spargelbeeten stand und dem Spiel zweier Schmetterlinge mit den Augen folgte.

Der Heidereiter freute sich ersichtlich des Anblicks und sagte nach einer Weile: »Gut. Ich will es bedenken.«

»Und was Ihr beschließt, das soll mir gelten; denn ich kenn Euch und weiß, es wird das Rechte sein. – Aber nun kommt, daß wir nach der Muthe sehen.«

Und er klatschte zweimal in die Hand und rief dem Kinde vom Fenster aus zu: »Wir wollen gehen, Hilde! Nimm dein Tuch!«

Und gleich danach schritten alle drei quer über das Tal auf einen langen und ziemlich hohen Heckenzaun zu, der, neben dem Gehöfte des Heidereiters ansteigend, erst auf den Wiesen- und Weidegrund der »Sieben-Morgen« und dann immer höher hinauf auf eine weitgestreckte, mit Ginster und Heidekraut bestandene Hochfläche führte, die »Kunerts-Kamp« hieß und nach hinten zu mit einem anscheinend endlosen Tannenwalde schloß. An dem Punkte aber, wo Kamp und Wald sich ineinanderschoben und ein Eck bildeten, stand das kleine weißgetünchte Haus der Muthe Rochussen, einer armen Holzschlägerswitwe.

Hilde war eine gute Strecke zurückgeblieben, um Gräser und Blumen zu pflücken, und erst als Sörgel und der Heidereiter bis dicht an den Zaun heran waren, der das weiße Häuschen von drei Seiten her einfaßte, beeilte sie sich, wieder in die Nähe beider zu kommen. Und nun schob sie, die kleine Hand durch das Gitter zwängend, einen Holzriegel von innen her zurück und lief über den Hof hin auf die mit Tannenzweigen bestreute, zugleich als Küche dienende Diele, daran die beiden einzigen Stuben des Hauses gelegen waren. Und nun öffnete sie die vorderste derselben und trat zurück, um die beiden Männer eintreten zu lassen.

Diese blieben jedoch, einen Augenblick wenigstens, wie betroffen stehen, denn was sie sahen, war mehr ein Begräbnis- als ein Sterbezimmer. Alles Unschöne war wie vorweg aus dem Wege geräumt. Unter einer aus bunten Zeugstücken sauber zusammengesteppten Decke lag die Tote, das dunkle Haar gescheitelt und eine Kette von

Bernsteinkugeln um den Hals, daran ein flammendes Herz hing. Ihre Linke hielt die gesteppte Decke fest und ließ für jeden, der eintrat, gleich auf den ersten Blick einen Schlangenring am vierten Finger erkennen. Es war ersichtlich, daß sie das Herannahen ihrer letzten Stunde gefühlt und das eitle Verlangen gehabt hatte, nach ihrem Tode noch eine Verwunderung und das Gerede der Leute zu wecken. Und so hatte sie denn das Haus bestellt, sich gekleidet und geschmückt und sich dann niedergelegt und war gestorben. Und ohne Kampf schien sie hinübergegangen zu sein, denn so herb ihre Züge waren, aus jedem sprach es doch wie das Glück einer endlichen Erlösung.

Und nun war auch Hilde herangetreten und hatte die Blumen, die sie draußen auf der Heide gepflückt, über die Mutter ausgestreut. Und sie kniete nieder und küßte die herabhängende Hand. Aber sie weinte nicht und gab kein Zeichen tiefen Schmerzes. Es war vielmehr, als wisse sie nichts Deutliches von Tod und Sterben, und als beide Männer immer noch schwiegen, erhob sie sich und ging auf den Platz hinaus, wo der Brunnen stand und ein paar Leinenstücke zum Bleichen ausgespannt lagen.

Es war stickig in dem Zimmer, und Sörgel, den es von Anfang an nach frischer Luft verlangt hatte, trat ans Fenster, um zu öffnen. Und dabei wurd er auf dem Fensterbrett und fast zu Häupten der Toten eines zierlichen und mit Silber eingelegten Ebenholzkästchens ansichtig, das an dieser ärmlichen Stelle beinahe mehr noch überraschen mußte als der Schmuck, den die Holzschlägerswitwe trug. In dem Kästchen aber lag alles, was diese hinterließ: ein Goldgulden, ein Spezies, ein paar kleinere Münzen und daneben zwei silberne Trauringe, die sie bei Lebzeiten getragen, aber in ihrer Sterbestunde von sich getan hatte.

»Das ist ihr Trauring«, sagte Sörgel und legte den kleineren auf seine flache Hand. »Und *das* hier ist der von dem Rochussen. Und sind nun elf Jahre, daß sie mit ihm unten vorm Altar stand. Ihr wißt ja, wie's kam und was es war; und sollte was zugedeckt werden. Aber sie hat nicht mit den beiden Ringen wie mit einer Lüge vor ihren Gott hintreten wollen, und ist mir, als ob's eine Beichte wär und ein Bekenntnis. Und nur hoffärtig ist sie geblieben bis an ihr Ende. Denn seht nur, von dem Schlangenringe hat sie nicht lassen wollen, den trägt sie noch, auf daß jeder ihn sehe. Ja, Heidereiter, irr und verworren sind unseres Herzens Wege.«

Der schwieg und sah vor sich hin. Sörgel aber fuhr fort: »Und auch *das* hier« – und er wies auf die Münzen – »erzählt mir nur, was ich schon weiß. Sie hat nie gedarbt, arm, wie sie war. Es geschah eben, was geschehen mußte, solange noch wer da war, der den Finger aufheben und sagen konnte: so und nicht anders. Aber das ist nun vorbei seit heute nacht, und die Gnädigste drüben wird sich nicht aus freien Stücken zu dem Enkelkinde bekennen wollen. Es war ihr immer ein Stachel im Fleisch. Und so haben wir von Stund an eine Waise mehr in der Gemeinde.«

»Nicht doch«, sagte Baltzer. »Ich nehme das Kind, und es soll mit meinem Martin zusammengehen. Ja, Pastor, ich will ein Gespann haben, damit fährt sich's besser, und ist dem Jungen gut. Und lieben wird er sie schon, denn's ist ein feines Kind und hat die langen Wimpern und das helle Rothaar – dasselbe, das die drüben haben. Und wer den Toten Blumen streut, der streut sie, denk ich, auch wohl den Lebenden.«

»Ich hoff es«, antwortete Sörgel.

Und danach riefen sie Hilden und sagten ihr, daß sie nun Abschied nehmen müsse. Die war denn auch bereit und stutzte nicht, und nur auf der Schwelle wandte sie sich noch einmal und lief zurück, um der Toten die Hand zu streicheln. Und nun erst folgte sie den beiden Männern und trat auch ihrerseits und ohne Zeichen tieferer Bewegung ins Freie.

Der Pastor gedachte seinen Weg wieder über Kunerts-Kamp und die Sieben-Morgen zu nehmen, genauso, wie sie gekommen waren; als ihn aber der Heidereiter bedeutet hatte, es sei näher über Diegels Mühle, schlenderten sie gemeinschaftlich an einer tiefen Grenzfurche hin, die von dem kleinen weißen Haus aus bis an den Abfall des Berges führte. Hilde ging vor ihnen her und stemmte, wie sie zu tun liebte, den rechten Arm in die Seite. Das gab ihr einen geraden Gang und machte, daß sie größer aussah, als sie war. Die beiden Männer aber folgten ihr mit den Augen, und Baltzer sagte lächelnd: »Ich werde sie zu hüten haben.«

Eine kurze Strecke noch, und die Grenzfurche bog nach links hin um eine kahle Felswand herum, in deren Front sie sich als mannsbreite Straße fortsetzte. Die Felswand selbst aber hieß *Ellernklipp*. Ein mittelhoher Brombeerbusch wuchs hier als einzige Schutzlehne hart am Abgrund hin, und der alte Sörgel, indem er sich an dem Gezweige festhielt, sah in freudiger Bewegung in das Landschaftsbild hinein, das ihm heut, unter dem Einfluß einer besonderen Beleuchtung, als etwas Neues und Niegesehenes erschien. In den Fenstern des Schlosses stand die Vormittagssonne, weiter unten blinkte der Wetterhahn auf der Schindelspitze des Turmes, und von rechts her, unter Erlen halb verborgen, flimmerte das Schieferdach von Diegels Mühle herauf.

»Ich muß nun da hinein«, sagte der Heidereiter und zeigte halb rückwärts auf den Wald. »Und dies ist der Weg, der nach der Mühle führt. Ehrwürden sehen den Haselbusch, und wenn Sie den haben, schlängelt sich's allmählich bergab. Aber immer rechts. Nach links hin geht's in den Elsbruch und ist steil und abschüssig, und wer fehltritt, ist kein Halten mehr. Und du, Hilde, gehst vorauf und suchst Ehrwürden die besten Stellen.«

Und sie ging vorauf und wartete nur dann und wann, bis der Alte, den sie führen sollte, wieder heran war. In diesem aber klang es nach, was der Heidereiter in der Muthe Haus oben gesprochen hatte: »Wer den Toten Blumen streut, der streut sie, denk ich, auch wohl den Lebenden.«

Und er wiederholte sich jedes Wort. »Aber ich fürchte«, fuhr er in leisem Selbstgespräch fort, »sie kennt nicht gut und nicht bös, und darum hab ich sie zu dem Baltzer Bocholt gegeben. Der hat die Zucht und die Strenge, die das Träumen und das Herumfahren austreibt. Und wenn sie Gutes sieht, so wird sie Gutes tun.«

ZWEITES KAPITEL
Hilde spielt

Hilde blieb in der Pfarre bis zum Begräbnis ihrer Mutter, am dritten Tag in aller Frühe. Man läutete nicht, und nur einige Neugierige waren gekommen, darunter auch Dienstleute vom Schloß. Und als nun der alte Sörgel das Gebet gesprochen und der Toten eine Handvoll Erde nachgeworfen hatte, nahm Baltzer Bocholt das Kind an der Hand, um es in seine neue Heimstätte hinüberzuführen. Auf dem Flur, in der Nähe der schmalen Treppe, standen alle Zugehörige des Hauses, und Baltzer, als er sie stehen sah, sagte: »Das ist gut, daß ihr da seid. Sieh, Hilde, dies ist unsere Grissel. Mit der wirst du nun zusammenleben und mußt ihr gehorchen in allen Stücken, als ob ich's selber wär. Und dies ist Joost, unser Knecht, der meint es gut. Nicht wahr, Joost? Und laß dich nur aufs Pferd von ihm setzen, aber immer nur, wenn er Zeit hat, und darfst ihn nicht stören bei seiner Arbeit. Und dies ist unser Martin; der soll nun dein Bruder sein, und ihr sollt euch liebhaben. Wollt ihr? Willst du, Hilde?«

Diese nickte, während Martin schwieg und verlegen vor sich niedersah. Baltzer aber hatte dessen nicht acht und fuhr fort: »Und nun gebt euch die Hand. So. Und jetzt einen Kuß. Und nun, Grissel, führ unser neues Kind in seine Stube hinauf und zeig ihm, wo es wohnt. Und zu Mittag sehen wir uns wieder. Punkt zwölf, auf die Minute. Hörst du! Denn ich bin ein alter Soldat und liebe Pünktlichkeit. Und nun Gott befohlen!«

Danach wandt er sich und ging aus dem Flur in die Vorlaube, während Martin in den Hof lief und Grissel und Hilde treppauf stiegen. Oben waren zwei Giebelstuben, in deren einer Grissel bis dahin allein gewohnt hatte. Die sollte sie jetzt mit Hilde teilen. Es war ein großer, weißgetünchter Raum, in dem aber so vielerlei stand, daß er wenigstens nicht kahl und kalt wirkte. Die Truhen und Schränke waren bunt gestrichen, und in der Nähe des Fensters hing eine Wanduhr, auf deren Zifferblatt ein goldgelber Hahn krähte. Der Pendel ging, ein paar große Fliegen summten, und Grissel sagte: »Sieh, Hilde, hier müssen wir uns nun vertragen. Werden wir? Ich denke doch. Du siehst mir danach aus, als ob jeder mit dir leben könnt und wärst ein gutes Kind und hättest keinen Eigenwillen. Und das ist immer das Beste, keinen eigenen Willen haben. Ich meine so für gewöhnlich, denn mancher hat einen und muß einen haben … Und dies hier ist deine Seite, dein Bett und dein Stuhl, und dieser Rechen ist für dich. Und es darf nichts umherliegen. Die Fenster aber müssen offen sein, denn es lebt sich besser in frischer Luft, und ich weiß nicht, wer sie wieder zugemacht hat. Gewiß unser Joost; der denkt immer: je stickiger, je besser, und will alles warm haben wie seinen Pferdestall.«

Und während sie so sprach, hatte sie das Fenster aufgemacht und eingekettet und winkte Hilden, an dem anderen Fenster ein gleiches zu tun. Und Hilde tat es, und ein Ausdruck von Glück überflog ihre Züge, so sehr gefiel ihr, was sie sah. Unmittelbar unter ihrem Fenster lag der Wirtschaftshof, auf dem die Tauben von einem Dachfirst zum anderen flogen; abwärts am Bach hin, in Entfernung weniger hundert Schritte, stieg der Rauch aus den Dächern des Dorfes, und immer weiter zu Tale dehnte sich das weite, flache Vorland aus und blinkte sonnenbeschienen in allen Herbstesfarben.

In all das sah Hilde hinein und sagte, während sie lang und tief aufatmete: »Hier will ich immer stehen … Ah …! Es ist so weit hier.«

»Ei nun«, lachte Grissel, »das ist gut, daß es dir gefällt. Aber du kannst hier nicht immer stehen. Ein junges Ding wie du, das ist nicht dazu da, bloß in die Welt zu gucken und zu warten, bis das Glück kommt oder der Bräutigam, was eigentlich ein und dasselbe ist. So wenigstens glauben sie. Nein, mein Hildechen, ein junges Ding muß arbeiten; denn bei der Arbeit vergehen einem die dummen Gedanken, und der Böse kann nicht herein, der immer vor der Tür steht ... Und nun komm und laß uns in die Küche gehen, daß wir ein Feuer machen und ihm ein Frühstück bringen.«

»Muß *ich* es ihm bringen?«

»Ja. Da wird er sich freuen. Denn er hat dich gern, und du gefällst ihm. Oder fürchtest du dich vor ihm?«

Sie schwieg und sah vor sich hin. Grissel aber fuhr fort: »Er lacht nicht viel und sieht aus, als ob er bloß brummen und beißen könnt. Aber er ist nicht so schlimm und hat es eigentlich gern, wenn andere lachen. Lache nur und erzähl ihm viel und sei zutulich, und du wirst sehen, er läßt sich um den Finger wickeln. Und so sind alle Mannsleut, und die, die so sauertöpfisch aussehen, just am meisten. Aber das verstehst du noch nicht. Oder verstehst du's? Höre, Hilde, du siehst mir aus, als verständest du's.«

Und dabei lachte Grissel wieder, nahm sie bei der Hand und führte sie treppab in die Küche.

Hilde fand sich schnell in allem zurecht, und den dritten Tag, als Grissel eben den Tisch deckte, sagte der Heidereiter, indem er sich auf seinem Stuhle herumdrehte: »Nun, wie geht es? Ich meine mit der Hilde?«

»Wie soll es gehen! Gut geht es. Es ist ein liebes Kind, still und gehorsam.«

»Das freut mich«, sagte Baltzer, »daß ihr euch vertragt. Aber ich wußt es. Sie hat so was Feines, und ist alles anders. Meinst du nicht auch?«

»I freilich, mein ich. Die Muthe war ja eine feine Person und eigentlich über ihren Stand. Und was ihr Mann war, ich meine den Jörg Rochussen – denn er soll ja doch wirklich ihr Mann gewesen sein, und sie reden ja von zwei Trauringen, die der alte Sörgel oben in einer Schachtel gefunden und mit in die Sakristei genommen hat –, nu, der Jörge, der war ja kohlschwarz und eigentlich noch schwärzer als die Muthe, bloß nicht so kraus. Und davon, denk ich, hat unser Hildechen das rote Haar und ist so was Feines.«

»Höre, Grissel«, entgegnete der Heidereiter, »ich kenne dich und weiß, wo das hinaus soll. Aber ich sage dir, ich will davon nicht hören. Was geschehen ist, ist geschehen, und es muß nun tot sein, so tot wie die Muthe. Die hat alles mit ins Grab genommen, ich meine die Geschichte von drüben, und das Kind ist jetzt ehrlicher Leute Kind, unser Kind, und du wirst den Mund halten. Ich weiß auch, du kannst es, wenn du willst. Denn du bist eine kluge Person, eine rechte Schulmeisters- und Küsterstochter, und hörst das Gras wachsen, geradeso wie der alte Melcher Harms oben, den du nicht leiden kannst. Und warum nicht? danach frag ich nicht, das ist *deine* Sach. Aber *meine* Sach ist, daß ich kein Gerede haben will, und soll alles sauber und rein sein in meinem Haus. Und was gewesen ist, ist gewesen. Und dabei bleibt's. Hörst du?«

Grissel, während Baltzer so sprach, hatte das Tischtuch immer wieder und wieder geglättet, trotzdem es längst glatt lag, und sagte nur: »Es ist gut, sie soll nichts hören davon, und im Dorfe redet sich's tot. Aber ihr eigen Blut wird es ihr sagen. Und ich merke schon so was.«

»Unsinn.«

»Ihr müßt ihr bloß nach den Augen sehen, Baltzer, und wie sie so zufallen am hellen lichten Tag. Und ist immer müd und tut nichts; aber mit eins richtet sie sich auf und steht kerzengrad und ist, als ob ihr die Guckerchen aus dem Kopf wollten. Und dann ist es wieder vorbei. Ja, Baltzer, es wird nichts Leichtes sein mit dem Kind.«

»Und was meinst du, was geschehen soll?«

»Allerlei, mein ich. Ich meine, sie muß in die Schul und an die Arbeit. Es ist ja zum Gotterbarmen mit ihr, und kann nichts und weiß nichts, und ist wild aufgewachsen und will immer hinaus. Und wenn sie nicht hinaus will, so will sie schlafen.«

»Ich habe selber schon an Schule gedacht«, antwortete der Heidereiter. »Aber der alte Sörgel will es nicht und meint, es sei noch zu früh, und hat erst von Ostern gesprochen. Und weil ich ja gesagt habe, so muß es bleiben.«

Und es blieb so.

Ein milder Herbst war, stille warme Tage bis tief in den Oktober hinein, und das Vieh, das sonst früh in den Stall kam, wurde immer noch an des Heidereiters Hause vorübergetrieben, um oben auf den Sieben-Morgen seine Weide zu finden. Die Kühe hatten ein gestimmtes Geläut, und Hilde, wenn sie das Läuten von ferne hörte, lief ihnen entgegen und setzte sich auf den Bankstein in der offenen Vorlaube. Der melancholische Ton der Glocken durchzitterte sie mit einer Sehnsucht weit hinaus, aber diese Sehnsucht in die Weite war ihr Glück. Und zuletzt kam der alte Melcher Harms, den sie schon von früher her kannte, wo sie noch oben auf Kunerts-Kamp zu Hause war. Er trug einen langen Leinenrock mit vielen Knöpfen, wie die Hirten zu tragen pflegen, und immer, wenn er seinen dreikrempigen Hut abnahm, sah man einen großen braunen Kamm, der sein spärliches, aber langes Haar nach hinten zu zusammenhielt. Und um dieses Kammes willen war es, daß er bei den Dorfleuten etwas spöttisch der Kamm-Melcher hieß. Aber Hilde hing an ihm, und allabendlich, wenn er heimkehrte, brachte er ihr einen Strauß mit, den er aus Heidekraut und ein paar verspäteten Erdbeeren zusammengebunden hatte. Dann nahm sie seine Hand und tat Fragen über Fragen, und erst wenn sie mitten im Dorf und die meisten Kühe längst im Stalle waren, entsann sie sich und schlenderte die Kreuz und Quer und von einem Ufer aufs andre bis an ihr Haus und die von wildem Wein überwachsene Vorlaube zurück. Da traf sie sich mit Martin, der ihr in allem zu Willen war, ohne daß sie selber einen rechten Willen gehabt hätte. Aber er erriet ihre Gedanken und handelte danach.

Und so wußt er denn auch bald, daß sie nichts Lieberes tat als Boot und Flotte spielen, und in seinen freien Stunden saß er seitdem in der Geschirr- und Hobelkammer, schnitt Schiffchen aus Holz- und Rindestücken und gab ihnen einen Mast mit einem weißen Segel daran. Und dann setzten sie die Schiffchen ein und sahen ihnen nach. Die meisten kenterten gleich und wurden ans Ufer geworfen, aber zwei hielten sich bis weit hinaus, und sie konnten sie nicht bloß verfolgen, sondern auch deutlich erkennen, wie sie gerad auf den Sonnenball zufuhren, der zwischen dem niederhängenden Gezweige stand und die schäumenden Wellen vergoldete. »Sieh«, sagte Martin, »das sind wir; ich hab unsere Namen drangesteckt, und die scheitern nicht. Und wenn du's nicht glaubst, so komm nur, wir wollen sehen, ob ich nicht recht habe.« Und sie liefen abwärts, um die gekenterten Schiffchen wieder aufzusuchen und danach festzustellen, welche zwei noch flott waren; aber schon das zweite, das zwischen den Steinen lag, war der »Martin«. Er nahm es und erschrak. »Ach, Hilde, dann ist es ein anderes Schiff, das mit dir fährt.« Und eine Träne stand in seinem Auge.

Hilde gab keine Antwort und sah immer nur den beiden Segeln nach, die noch im Abendlichte glänzten, bis endlich das Licht und die Segel verschwunden waren.

Unter solchem Spielen verging der Herbst, und es war fast, als ob der Wetterumschlag nicht kommen wollte. Aber zuletzt kam er doch. Eines Abends hatten sich Grissel und Hilde niedergelegt und kurz vorm Einschlafen beschlossen, am nächsten Tage die Winteräpfel von den Bäumen zu schütteln, da kam ihnen der Sturm zuvor, und noch ehe Mitternacht heran war, wachte Grissel auf und sah zu Hilde hinüber, ob sie noch schliefe. Aber sie saß schon auf, mit gefalteten Händen, und sah in den Vollmond, der hell hereinschien und die ganze Stube mit seinem weißen unheimlichen Lichte füllte. Dabei lief der Sturm, der sein

Heulen aufgegeben hatte, pfeifenden Tones und immer rascher um das Haus her und zwängte sich durch alle Ritzen. Und mit einem Male ward es still. »Ist es vorüber?« fragte Hilde von ihrem Bett her. Aber ehe Grissel noch antworten konnte, gab es ein Donnern in den Lüften, und alles dröhnte und schütterte, und Grissel, die sonst Mut hatte, rief mit ängstlicher Stimme: »Duck di, Hilde. Dat is he.« Und Hilde duckte sich und wollte sich unter die Kissen verstecken, aber sie konnte es nicht und sprang auf und setzte sich auf Grissels Bett und sagte: »Was machen wir?« – »Wir beten.« – »Ich kann nicht.« – »Dann sprich es nach.« Und Grissel betete:

»Steh uns bei, Herr Jesus Christ,
Wider Teufels Macht und List;
Dein ist die Kraft und Herrlichkeit
In Ewigkeit. Amen.«

Und »Amen« zitterte Hildens Stimme nach.

Als sich am andern Morgen der Sturm gelegt hatte, kam die Regenzeit. Die dauerte zwei volle Wochen, und es klatschte Tag und Nacht an die Fenster, und die letzten Blätter fielen von den Bäumen und trieben in hundert kleinen Rinnen dem von dem losgewaschenen Erdreich immer trüber werdenden Bache zu. Hilde stand an dem Giebelfenster oben und fror. Und zuletzt warf sie sich aufs Bett, wickelte sich ein und legte die Füße auf den Binsenstuhl. Aber wenn sie dann Grissel auf der Treppe hörte, sprang sie rasch wieder auf, machte Bett und Decke wieder glatt, trat ans Fenster und sah in den Hof hinunter, wo die Hühner unterm Schuppendach saßen und Tiras seinen Kopf immer nur so weit vorstreckte, wie der Dachvorsprung seiner Hütte reichte. Und dann fragte Grissel: »Was machst du, Hilde?«

»Ich friere.«

»Dann komm an den Herd.«

Und darauf wartete Hilde bloß und ging treppab und kauerte sich unter den Herdbogen, wo das kleingemachte

Holz lag, und wenn sie da warm geworden, kroch sie wieder heraus und setzte sich auf den Hauklotz. Da hockte sie stundenlang und sah in das Feuer, in das von oben her aus dem Rauchfang einzelne Tropfen zischend niederfielen, und hörte, wie die Katze spann und wie die Sperlinge, die sich naß und hungrig auf das Fensterbrett geflüchtet hatten, ängstlich und traurig zirpten und zwitscherten. Dann jammerte sie der Kreatur, und sie stand auf und öffnete das Fenster und streute Krumen. Und wenn einige zudringlich in die Küche hineinhuschten, dann hielt sie die Katze fest, bis alle wieder über den Flur oder durch den Rauchfang hinaus ins Freie waren.

Das ging so wochenlang, bis eines Morgens der Regen fort war und die Sonne hell ins Fenster blinkte. Denn über Nacht war Winter geworden. Und wie das Wetter, so hatte sich auch die Hilde vertauscht und war froh und frisch und aller Müdigkeit los und ledig. Und Martin sagte: »Komm, ich geh auf die Sieben-Morgen.« Und nicht lange, so stiegen sie den Heckenzaun entlang auf ein Tümpelchen zu, das in der Sommerzeit eine Tränke für das Vieh war. Und weil es tief eingebettet und geschützt vor dem Winde lag, war sein Eis glatt, und Martin sagte: »Nun hucke dich und fasse meinen Rock.« Und im nächsten Augenblicke fuhr er über die Spiegelfläche hin, und sie glitt ihm nach und konnt es nicht müde werden, bis ihr zuletzt die klammen Finger versagten. Aber noch auf dem Heimwege versuchte sie's immer wieder, und als Grissel ihrer ansichtig wurde, wie sie so frisch und rotbäckig war, rief sie verwundert ein Mal über das andere: »Kind, Hilde, du bist es ja gar nicht mehr!«

Und wieder eine Woche später, da trübte sich der Himmel, ohne daß der Frost erheblich gewichen wäre; und als Hilde den dritten Tag aufsah und wie gewöhnlich das Fenster öffnete, siehe, da flog schon ein Schneeball über sie weg und gleich darauf ein zweiter, und Martin rief hinauf: »Aber nun rasch; ich will dich Schlitten fahren.« Und wirklich, ehe noch die Grissel ein Nein oder Ja sagen konnte, war schon die Schleife mit den vier Speichen heraus, und Hilde saß in dem Korbe, einen Häckselsack unter den Füßen und einen Pferdefries über die Knie; Martin und Joost aber spannten sich vor, der eine rechts, der andere links, und im selben Augenblicke ging es vom Hof her in den Fahrweg hinunter und am Hause vorbei, so laut und so froh, daß Baltzer von seinem Tisch aufsah und zur Grissel sagte: »Wie die Hilde lustig sein kann. Und du sagst immer, sie sei bloß müd und matt und recke sich und strecke sich. Da sieh nur, wie das jubelt und lacht!«

»Ja«, sagte Grissel, »das ist, seit wir den Winter haben; und hat ordentlich rote Backen und ist wie vertauscht. Und uns' Martin auch, und immer hinterher, und Hildechen hier und Hildechen da. Ja, die Hilde! Sie weiß es nicht anders mehr und hat es, mein Seel, vergessen, wo sie herkommt und was es eigentlich mit ihr ist … Aber das sag ich so bloß zwischen uns, Baltzer Bocholt.«

Und des Heidereiters Stirn, die sich schon gerunzelt hatte, glättete sich wieder, und er sagte ruhig und in beinahe freundlichem Tone: »Und wenn sie's vergessen hat, desto besser. Wir wollen es *auch* vergessen … Und *das* vergiß nicht!«

Drittes Kapitel

Hilde hat einen Willen

Hilde lebte sich ein, und es waren glückliche, helle Tage, so hell wie der Schnee, der draußen lag. Alle Morgen mußte Martin in die Schule, zweimal auch zu Sörgel, aber wenn er dann eine Stunde vor Essen wiederkam und seine Mappe mit der Schiefertafel in das Brotschapp gestellt hatte, so ging es mit der ihn schon erwartenden Hilde rasch in die Winterfreude hinaus, die jeden Tag eine andere wurde. Die größte aber war, als sie sich auf dem Hofe eine Schneehütte gebaut und die Höhle darin mit Stroh und Heu ausgepolstert hatten. Da saßen sie halbe Stunden lang, sprachen kein Wort und hielten sich nur bei den Händen. Und Martin sagte, sie seien verzaubert und säßen in ihrem Schloß und der Riese draußen ließe niemand ein. Dieser Riese aber war ein Schneemann, dem Joost eine Perücke von Hobelspänen aufgesetzt und anfänglich ein Schwert in die Hand gegeben hatte, bis einige Tage später aus dem Schwert ein Besen und mit Hülfe dieses Tausches aus dem Riesen selbst ein Knecht Ruprecht geworden war. Das war um die Mitte Dezember. Als aber bald danach die letzte Woche vor dem Fest anbrach, da fingen auch die Heimlichkeiten an, und Martin war stundenlang fort, ohne daß Hilde gewußt hätte, wo. Und wenn sie dann fragte, so hörte sie nur, er sei bei Sörgel oder bei Melcher Harms oder bei dem alten Drechsler Eickmeier, der in der Weihnachtszeit außer seinen Pfeifen und seinem Schwamm auch noch Bilderbogen verkaufte. Mehr aber konnte niemand sagen, und erst am Heiligabende selbst mußte der Geheimnisvolltuende von seinem Geheimnis lassen, um sich ebenso der Zustimmung des Vaters wie der Hülfe Grissels zu versichern. Und diese letztere half denn auch wirklich und freute sich, daß es etwas Schönes werden würde, worüber ihr keinen Augenblick ein Zweifel kam. Und als es nun dunkelte und drüben von der Kirche her die kleine Glocke zu läuten anfing, da war alles fertig, und der Heidereiter selbst führte Hilden in seine Stube, drin unter dem Christbaum neben anderen Geschenken auch die ganze Stadt Bethlehem mit all ihren Hirten und Engeln aufgebaut worden war. Alles leuchtete hell, weil hinter dem geölten Papier eine ganze Zahl kleiner Lichter brannte; am hellsten aber leuchtete der Stern, der über dem Kripplein und dem Jesuskinde stand. Hilde konnte sich nicht satt sehen daran, und als endlich der Lichterglanz in der Stadt Bethlehem erloschen war, trat sie vor den Heidereiter hin, um ihm für alles, was ihr der heilige Christ beschert hatte, zu danken.

»Und nun sage mir«, sagte dieser, »was hat dir am besten gefallen?«

Sie wies auf die Stadt.

»Dacht ich's doch!« lachte Baltzer Bocholt, »die Stadt! Aber die Stadt ist nicht von mir, Hilde, die hat dir der Martin aufgebaut und hat seine Sparbüchse geplündert. Und der alte Melcher Harms hat ihm geholfen, und alles, was in Holz geschnitzt ist und auf vier Beinen steht, das ist von ihm. Ja, das versteht er. Aber der Martin hat doch das Beste getan, und wenn du wem danken willst, so weißt du jetzt, wohin damit.«

Und dabei wies er auf Martin, der scheu neben dem Ofen stand.

Hilden selbst aber war alle Scheu geschwunden, und sie lief auf Martin zu und gab ihm einen herzhaften Kuß, so herzhaft, daß der alte Heidereiter ins Lachen kam und immer wiederholte: »Das ist recht, Hilde, das ist recht. Ihr sollt euch liebhaben, so recht von Herzen und wie Bruder und Schwester. Ja, so will ich's, das hab ich gern.«

Und danach ging es zu Tisch, und alle ließen sich den Weihnachtskarpfen schmecken und waren guter Dinge, nur Hilde nicht, die noch immer in fieberhafter Erregung nach dem dunkelgewordenen Bethlehem hinübersah und endlich froh war, als sie gute Nacht sagen und in die Giebelstube hinaufsteigen konnte. Hier stellte sie, was ihr unten beschert worden war, auf das oberste Brett ihres Schrankes und sagte zu Grissel, während sie den Binsenstuhl an das Bett derselben heranrückte: »Nun erzähle.«

»Wovon, Kind?«

»Von der Jungfrau Maria.«

»Und von dem Jesuskindlein?«

»Ja. Von dem Kindlein auch. Aber am liebsten von der Jungfrau Maria. War es seine Mutter?«

»Ach, du Herr des Himmels!« entsetzte sich Grissel. »Hast du denn nie gelernt: ›Geboren von der Jungfrau Maria‹? Kind, Kind! Ach, und deine Mutter, die Muthe, hat sie dir denn nie das zweite Stück vorgesagt? Wie? Sage!«

»Sie hat mir immer nur ein Lied vorgesagt.«

»Und wovon?«

»Von einem jungen Grafen.«

»Und nichts von Gott und Christus? Und weißt auch nicht, was Weihnachten ist? Und bist am Ende gar nicht getauft? Und da läßt der Pastor dich umherlaufen, sagt nichts und fragt nichts, und der Böse geht um, und ist keiner, der ihm widerstände, der nicht den Glauben hat an Jesum Christum, unseren Herrn und Heiland. Ach, du mein armes Heidenkind ...! Aber nimm dir ein Tuch um und wickele dich ein, denn es ist kalt, und dann höre zu, was ich dir sagen will.«

Und Grissel erzählte nun von Joseph und Maria und von Bethlehem, und wie das Christkind allda geboren sei.

»Von der Jungfrau Maria?«

»Ja, von *der*. Denn das Kind, das sie gebar, das war nicht des Josephs Kind, das war das Kind des Heiligen Geistes.«

Es war ersichtlich, daß Hilde nicht verstand und verlegen war. Aber sie wollte nicht weiter fragen und sagte nur: »Und wie kam es dann?«

»Ei, dann kam es so, wie du's heute gesehen hast und wie Martin und Joost es dir aufgebaut haben. Und meinetwegen auch der alte Melcher. Erst kam der Stern und stand über dem Hause still, und dann erschienen die Hirten, und zuletzt kamen die drei Könige von Morgenland und brachten Gold und Gaben und köstliche Gewänder, und alles war Licht und himmlische Musik, und der Himmel war offen, und die Engel Gottes stiegen auf und nieder. Und es war Freud im Himmel und auf Erden, denn unser Heiland war geboren. Und dieser Geburtstag unseres Heilandes ist unser Weihnachtstag.«

Hildes Augen waren immer größer geworden, und sie sagte jetzt: »Ah, das ist schön und wird einem so weit! Erzähle mir immer mehr. Ich seh es alles und höre die himmlische Musik, und dazwischen ist es wie Glockenläuten. Ernst und schwer. Und ist immer derselbe Ton ...«

Indem aber hatte sich Grissel aufgerichtet, hielt ihre Hand ans Ohr und sagte: »Hilde, Kind, was ist das ...?

Immer ein Ton, freilich. Und immer derselbe ... Das ist die Feuerglocke ... Horch!«

Und sie war aus dem Bett gesprungen, warf ihren Friesrock über und sah hinaus. Aber im Dorfe war kein Feuerschein, und so lief sie nach der anderen Giebelstube hinüber, wo Martin schlief, und riß das Fenster auf. Und da sah sie die Glut, nicht unten im Tal, aber oben, und wenn nicht alles täuschte, so mußt es auf Kunerts-Kamp sein, hart am Walde, denn die Rückseite von Ellernklipp stand angeglüht im Widerschein. Und sie flog treppab, um den Heidereiter zu wecken. Aber der stand schon auf der Diele, den Hirschfänger an der Koppel, und rief ihr zu: »Meinen Hut; rasch! Verdammte Wirtschaft! Wer hat den Hut vom Ständer genommen?« – »Er hängt ja; weiß Gott, Baltzer, Ihr habt wieder Euren Koller und kein Aug im Kopf. Hier.« Und er riß ihr den Hut aus der Hand. In der Tür aber wandt er sich noch einmal zurück und sagte scharf und bestimmt: »Und daß du mir das Haus hütest, Grissel. Ich befehl es. Ein Feuer wie das ist kein Küchenfeuer. Und Hilde soll ins Bett. Und Martin auch.«

Damit war er die Treppenstufen hinunter und ging auf Diegels Mühle zu, von der er dann, als auf dem nächsten Wege, nach Ellernklipp hinauf wollte.

Mittlerweile war auch Hilde die Treppe herabgekommen und stellte sich mit auf die zugige Diele, denn Vor- und Hintertür standen weit offen. Und nicht lange, so rollte von Emmerode her über den hartgetretenen Schnee die Dorfspritze heran. Allerhand junges Volk hatte sich vorgespannt, andere schoben, und Grissel, die bis auf die Vortreppe hinausgetreten war, fragte: wo es sei.

»Auf Kunerts-Kamp. Der Muthe Rochussen ihr Haus brennt.«

Und damit ging es weiter. Aber ehe noch die Spritze zwischen den Erlen verschwunden war, erklärte Hilde, die jedes Wort gehört hatte, daß sie gehen und das Feuer sehen wolle.

»Du darfst nicht.«

Aber sie bat weiter, und als Grissel unerbittlich blieb, sagte sie: »Gut, so geh ich allein. Du wirst mich doch nicht halten wollen?« Und damit lief sie fort und kam erst zurück und beruhigte sich erst wieder, als ihr die bang und ängstlich nachstürzende Grissel ein Mal über das andere zugesichert hatte, sie nicht einsperren oder mit Gewalt festhalten, ihr vielmehr in allem zu Willen sein zu wollen. Und wirklich, sie hielt Wort; und als sie die vor Erregung immer noch zitternde Hilde wohl verwahrt und in ihre Weihnachtspelzkappe gesteckt hatte, gingen sie, rechts um das Haus biegend, einen mit lockerem Schnee gefüllten Graben hinauf, der unmittelbar neben dem Heckenzaun hin auf die Höhe zulief. Eine Zeitlang war es ihnen, als ob oben alles erloschen sei, denn sie sahen keinen Schein mehr. Aber kaum daß der anfänglich tiefe Graben etwas flacher geworden war, so lag auch das Feuer vor ihnen, wie mit Händen zu greifen, und die Glutmasse wirbelte immer heftiger in die Höhe. Hilde stand wie gebannt. Endlich aber sagte sie: »Komm, wir wollen näher.«

Und damit hielten sie sich auf einen hohen Grenzstein zu, der zwischen Kunerts-Kamp und den Sieben-Morgen lag und das verschneite Heidekraut weit überragte. Auf den stellten sie sich und sahen hinüber in die Flamme.

Die Spritze war schon da, trotzdem man sie stückweise hatte herauftragen müssen, aber Wasser fehlte. Denn der Ziehbrunnen, der zu dem Hause gehörte, lag schon im Bereiche des Feuers, und niemand konnte mehr heran. Es schien aber doch, als ob Wasser von irgendwoher erwartet werde, denn eine lange Kette hatte sich bis Ellernklipp hin aufgestellt, und nur der Heidereiter achtete weit mehr auf das, was an der entgegengesetzten Seite vorging, weil er vor allem seinen Wald zu retten wünschte. Der lag freilich noch gute hundert Schritte zurück, aber gerade da, wo die Muthe gewohnt hatte, schob er eine lange Spitze vor, deren vorderstes Gezweig bereits bis über die Gartenzäunung hing. Es war klar, daß der Wald in äußerster Gefahr schwebte, wenn es nicht gelang, einen breiten Zwischenraum zu schaffen, und Baltzer Bocholt, der wohl erkannte, daß er um des Ganzen willen einen Einsatz nicht scheuen dürfe, wies jetzt, als er seine Holzschläger und Schindelspeller um sich versammelt sah, auf die Stelle hin, wo seiner Meinung nach der Schnitt gemacht und die vorspringende Spitze von dem eigentlichen Gebreite des Waldes abgetrennt werden mußte. »Vorwärts!« Und nicht lange, so hörte man den Schlag der Axt und das Krachen und Stürzen der Bäume, die, wenn kaum erst halb angeschlagen, an langen Stricken niedergerissen wurden. Und eine kleine Weile noch, so gab es auch Wasser oder doch die Gelegenheit dazu, denn aus dem Tale herauf, von Diegels Mühle her, erschien eben jetzt eine Schlittenschleife, die mit Schaufeln und Spaten, mit Eimern und Kesseln und überhaupt mit allem bepackt worden war, dessen man unten in der Eile hatte habhaft werden können; und während einige der Leute sofort sich anschickten, mit Stangen und Feuerhaken ein paar brennende Balken aus der Feuermasse herauszureißen, schleppten andere die Kessel, große und kleine, vom Schlitten her in die Glut und schippten den umherliegenden Schnee hinein. Und wieder andere waren, die hockten um die Kessel her und trugen den Schnee, wenn er geschmolzen, in Butten und Eimern an die nebenstehende Spritze, deren erster Strahl eben jetzt in die Glutmasse niederfiel. Aber der Heidereiter, unschwer erkennend, daß an der Muthe Haus wenig gelegen und noch weniger zu retten war, schrie mit lauter Stimme dazwischen: »Unsinn! hierher!«, und gehorsam seinem Kommando, packten alle, die zur Hand waren, nach der Spritzendeichsel und jagten über die verschneiten Baumstubben fort, bis sie dicht an der Waldecke hielten, an eben jener bedrohtesten Stelle, wo der angeglühte Schnee bereits von den Zweigen zu tropfen anfing.

Und Hilde starrte wie benommen in das mit jedem Augenblicke sich neu gestaltende Bild, das, alles sonstigen Wechsels ungeachtet, in drei fest und unverändert bleibenden Farbenstufen vor ihr lag: am weitesten zurück die schwarze Schattenmasse des Waldes, *vor* dem Walde das Feuer und *vor* dem Feuer der Schnee.

Über dem Ganzen aber der Sternenhimmel.

Und sie sah hinauf, und die Engel stiegen auf und nieder. Und es war wieder ein Singen und Klingen, und die Wirklichkeit der Dinge schwand ihr hin in Bild und Traum.

Und so stand sie noch, als sie drüben ein Rufen und Schreien hörte, vor dem ihr Traum zerrann, und als sie wieder hinblickte, sah sie, daß das brennende Haus in ein Wanken und Schwanken kam und im nächsten Augenblicke jäh zusammenstürzte.

Die Funken flogen himmelan und verloren sich in den Sternen.

Eine Minute lang folgte sie noch wie geblendet dem Schauspiel, während sie zugleich das in die Höhe gerichtete Auge mit ihrer Hand zu schützen suchte. Dann aber ließ sie die Hand wieder fallen und sagte: »Komm, Grissel, mich friert. Und es ist nun alles vorbei.«

Viertes Kapitel

Hilde kommt in die Schule

Baltzer Bocholt hatte die beiden wohl gesehen, aber er sagte nichts, als er eine Stunde später heimkam, und schwieg auch am anderen Tage beim Frühstück. Er sah nur Hilden scharf an, und erst als diese wieder fort war und Grissel die Teller abräumte, von denen man die Morgensuppe gegessen, warf er im Vorübergehen hin: »Ihr waret also *doch* da?«

»Ja. Die Hilde wollt es, und als ich es ihr abschlug und ihr sagte, Ihr hättet es verboten, da lief sie fort, wie sie ging und stand. Und da mußt ich ihr alles versprechen. Und ein wahres Glück noch, daß ich sie wieder ins Haus brachte; sie hätte ja den Tod gehabt ohne Mantel und dicke Schuhe. Und im Ostwind und durch den Schnee.«

»So, so«, sagte Baltzer und trommelte an die Scheiben. »Sie kann also auch ungehorsam sein. Sieh, Grissel, das gefällt mir. Der Mensch muß gehorchen, das ist das erste, sonst taugt er nichts. Aber das zweite ist, er muß nicht gehorchen, sonst taugt er auch nichts. Wer immer gehorcht, das ist ein fauler Knecht, und ist ohne Lust und Liebe und ohne Kraft und Mut. Aber wer eine rechte Lust und Liebe hat, der hat auch einen Willen. Und wer einen Willen hat, der will auch mal anders, als andere wollen.«

So verging der Tag, ohne daß von dem Feuer gesprochen worden wäre, und erst am Abend, als Grissel und Hilde wieder auf ihrer Giebelstube waren, sagte erstere: »Bist du traurig, Hilde?«

»Nein.«

»Aber du sprichst nicht. Und es war doch euer Haus, und du wolltest hin und es sehen.«

»Ja, ich wollt es, als ich den roten Himmel sah.«

»Und hast auch keine Sehnsucht? Ich meine nach deiner Mutter. Oder hattest du sie nicht lieb?«

»O ja, ich hatte sie lieb. Aber ich bin doch nicht traurig.«

»Und warum nicht?«

»Ich weiß es nicht. Aber mir ist, als wäre sie nicht tot. Ich seh sie noch und höre sie noch. Und dann hab ich ja euch. Es ist besser hier und nicht so still und so kalt. Und du bist so gut, und Martin …«

»Und der Vater …«

»Ja, der auch.«

Ohne weitere Zwischenfälle verlief der Winter, und als Ostern, das in diesem Jahre früh fiel, um eine Woche vorüber war, packte Martin nicht bloß *seine* Mappe, sondern auch Hildens, und mit erwartungsvoller und beinahe feierliche Miene gingen beide neben dem Bach hin auf das mitten im Dorf gelegene Schulhaus zu, das schwarze Balken und weißgetünchte Lehmfelder und oben auf dem Dach eine kleine Glocke hatte. Die läutete eben, als sie eintraten.

Hilde kam nach unten, denn sie wußte nichts, und selbst die Kleinen lachten mitunter. Auch schien es nicht, als ob sie die lange Versäumnis im Fluge nachholen werde, denn sie war oft träge und abgespannt und machte Krickelkrakel im Rechnen und Schreiben, und nur im Lesen und Auswendiglernen war sie gut. Und siehe da, das half ihr, und als kurz vor der Erntezeit eine Schulinspektion angemeldet wurde, mußte sie die Fabel von der Grille und der Ameise vorlesen, was ihr neben der Zufriedenheit des Lehrers auch eine besondere Belobigung des alten Sörgel eintrug.

Und was diesen anging, so sollte sich's überhaupt jetzt zeigen, daß er des Kindes und seiner Zusage nicht vergessen habe, denn er schrieb denselben Tag noch ein Zettelchen, worin er dem Heidereiter vorschlug, ihm jeden Dienstag und Freitag die Hilde herüberzuschicken, und natürlich auch den Martin, damit er ihnen etwas aus der Bibel erzählen könne. Das geschah denn auch, und die zwei Stunden beim alten Sörgel waren bald das, worauf sich die Kinder am meisten freuten. Es war alles nach wie vor so still und behaglich drüben, und der kleine Zeisig, der in seinem Bauer zirpte, schien nur dazu da, zu zeigen, *wie* still es war. Dazu lagen über die ganze Stube hin lange, von Tucheggen geflochtene Streifen, sogenannte Läufer, alle weich genug, einen jeden Schritt zu dämpfen, auch den schwersten, selbst wenn der alte Sörgel nicht kniehohe Sammetstiefel und bei rechter Kälte sogar noch ein Paar Filzschuhe darüber getragen hätte. Das erste Mal, als er so kam, waren Martin und Hilde dicht am Lachen gewesen, aber der alte Herr, der wohl wußte, wie Kinder sind, hatte nur mitgelächelt und im selben Augenblicke gefragt: »Nun, Hilde, sage mir, wie hießen die zwölf Söhne Jakobs …? Richtig … Und nun sage mir, wie hieß sein Schwiegervater …? Richtig … Und nun sage mir, wie hieß seine Stiefgroßmutter …?« Auf diese letztere Frage war er nun, wie sich denken läßt, einer Antwort nicht gewärtig gewesen; als aber Hilde mit aller Promptheit und

Sicherheit ihm »Hagar« geantwortet und noch hinzugesetzt hatte: »*Die* meint Ihr, Pastor Sörgel; es ist aber eigentlich nicht richtig« – da war er schmunzelnd an einen nußbaumenen Eckschrank herangetreten und hatte von dem obersten Brett eine Meißener Suppenterrine herabgenommen, darin er seine Biskuits aufzubewahren liebte. »Da, Hilde, das hast du dir ehrlich verdient ... Und *das* hier, Martin, ist für dich, damit dir das Herz nicht blutet.«

So ging es geraume Zeit, es war schon der zweite Winter, und da Sörgel eine Vorliebe für das Alte Testament hatte – eine Vorliebe, die nur noch von seiner Abneigung gegen die Offenbarung Johannis übertroffen wurde –, so konnte es keinen verwundern, die Kinder fest in der alten biblischen Geschichte zu sehen, und zwar um so fester, als sie nicht bloß zuhören, sondern auch alles frisch Gehörte sofort wiedererzählen mußten.

In ihrem Wissen waren sie gleich, aber in Auffassung und Urteil zeigte sich Hilde mehr und mehr überlegen, so sehr, daß der alte Pastor immer wieder in die vielleicht verwerfliche Neigung verfiel, sie, wie damals mit der Hagarfrage, durch allerlei Doktorfragen in Verlegenheit zu bringen.

»Sage, Hilde«, so hieß es eines Tages, »du kennst so viele Frauen von Eva bis Esther. Nun sage mir, welche gefällt dir am besten und welche am zweit- und drittbesten? Und welche gefällt dir am schlechtesten? Gefällt dir Mirjam? Oder gefällt dir Jephthahs Tochter? Oder gefällt dir Bathseba? Du schüttelst den Kopf und willst von des Uria Weib nichts wissen. Aber du darfst es ihr nicht anrechnen, daß der König ihren Mann an die gefährliche Stelle schickte. Das tat eben der König. Und sie konnt es nicht ändern ... Oder gefällt dir Judith?«

»Auch *die* nicht. Judith am wenigsten.«

»Warum?«

»Weil sie den Holofernes mordete, listig und grausam, und seinen Kopf in einen Sack steckte. Nein, ich mag kein Blut sehen, an mir nicht und an anderen nicht.«

»Ich will es gelten lassen. Aber wer soll es *dann* sein, Hilde? Wer gefällt dir?«

»Ruth.«

»Ruth«, wiederholte Sörgel. »Eine gute Wahl. Aber du weißt doch, sie war eine Witwe.«

So plauderte der Alte mit seinen Konfirmanden, und wenn dann die Stunde vorüber war, schlenderten Martin und Hilde wieder heim, im Winter an dem Stachelginster vorbei, der neben der Kirchhofsmauer hinlief, im Sommer über den Kirchhof selbst, wo sie hinter den Büschen Verstecken spielten. Oft aber wollte Hilde nicht, sondern blieb allein und setzte sich abwärts auf eine Steinbank, wo der Quell aus dem Berge kam und wo Gartengeräte standen und große Gießkannen, um die Gräber damit zu begießen. Und von dieser Bank aus sah sie, wie die Lichter einfielen und vor ihr tanzten und wie die Hummeln von einer hohen Staude zur anderen flogen: von dem Rittersporn auf den roten Fingerhut und von dem roten auf den gelben. Den liebte sie zumeist und freute sich immer und zählte die Schwingungen, wenn er unter dem Anprall der dicken Hummeln ins Schaukeln und Schwanken kam. Und dann erhob sie sich und ging auf ihrer Mutter Grab zu, das nichts als ein paar Blumen und ein blaues Kreuz mit einem Dach und einer gelben Inschrift hatte: »Erdmuthe Rochussen, geb. den 1. Mai 1735, gest. den 30. Sept. 1767.« Und immer wenn sie den Namen las und den Spruch darunter, stiegen ihrer Kindheit Bilder wieder vor ihr auf, und sie sah sich wieder auf der Hofschwelle sitzen, und an der anderen Seite der Diele, der Vordertür zu, saß ihre Mutter und schwieg und spann. Und dann hörte sie sie rufen: »Hilde!«, ach, leise nur, und sie lief auf die Mutter zu, die plötzlich wie verändert war und ihr das Haar strich und fühlte, wie fein es sei.

So waren die Bilder, denen sie nachhing, und während sie so sann und träumte, pflückte sie von den Grashalmen, die das Grab umstanden, flocht einen Kranz, hing ihn an das Dach und ging im Zickzack auf die höher gelegene

Kirchhofsstelle zu, wo die Gräflichen ihre Ruhestätte hatten, eingehegt und eingegittert und von einem hohen Marmorkreuz überragt. Das leuchtete weithin, und ein Zeichen war darauf, das sie nicht deuten konnte. Zu Füßen des Kreuzes aber lagen allerhand Steinplatten, einige von Schiefer, andere von Granit, auf deren einer in Goldbuchstaben zu lesen war: »Adalbert Ulrich Graf von Emmerode, geb. am 1. Mai 1733, gefallen vor Prag am 6. Mai 1757.« Und immer wenn sie dies sah und las, gedachte sie der vielen, vielen Tage, wo sie mit ihrer Mutter an eben dieser Stelle gestanden hatte, manchmal in aller Frühe schon, wenn der Tau noch lag, und öfter noch bei Sonnenuntergang. Und niemals waren sie gestört worden, außer ein einzig Mal, wo die Gräfin unvermutet und plötzlich am Gittereingang erschienen war. Und das war ihr unvergessen geblieben und mußt es wohl, denn ihre Mutter hatte sie rasch und ängstlich zurückgerissen und sich und sie hinter eine hohe Brombeerhecke versteckt.

»Sie sollen Geschwister sein«, hatte Baltzer Bocholt gesagt; im Dorf aber hieß es nach wie vor, daß des Heidereiters Hilde der Muthe Kind sei, der Muthe Rochussen, und eigentlich auch *das* nicht mal. Eine Mutter habe die Hilde freilich gehabt, gewiß, eine Mutter habe jeder, und das sei denn auch die *Muthe* gewesen. Aber ob es die Muthe *Rochussen* gewesen, *damals* schon gewesen, das sei doch noch sehr die Frage. Das wüßten die drüben besser, die Lebendigen und die Toten.

Es konnte natürlich nicht ausbleiben, daß der Heidereiter von solchem Gerede hörte, weil er aber störrisch und eigensinnig war, so war es ihm nur ein Grund mehr, die Hilde so recht zu seinem Lieblingskinde zu machen. Es war eigentlich nur eines, was ihn an ihr verdroß: ihre Müdigkeit. Sie war ihm zu lasch, und wenn sie so dasaß, den Kopf auf die Schulter gelehnt, so rief er ihr ärgerlich zu: »Kopf in die Höh, Hilde! Bei Tag ist Arbeitszeit und nicht Schlafenszeit; das lieb ich nicht. Aber was ich noch weniger lieb als das Schlafen, das ist die Schläfrigkeit. Immer müde sein ist Teufelswerk. Als ich so alt war wie du, da braucht ich gar nicht zu schlafen.«

Und solche Mahnung half denn auch einen Tag oder zwei, weil's ihr einen Ruck gab. Aber den dritten Tag war es wieder beim alten, und er beschloß, mit Sörgel darüber zu sprechen.

Der indessen schüttelte den Kopf und sagte nur: »Ich kann Euch nicht zustimmen, Heidereiter. Ihr habt ein volles und starkes Blut und wollt alles so voll und stark, als Ihr selber seid. Aber das Blut ist verschieden, und das Temperament ist es auch. Ihr habt den cholerischen Zug, und die Hilde hat den melancholischen. Und daran ist nichts zu ändern; das hat die Natur so gewollt, in der *auch* Gottes Wille lebendig ist, und das müßt Ihr gehenlassen. Seht, ich weiß noch den Tag, als die Muthe Rochussen eben gestorben war und wir mit der Hilde hinaufgingen und dann wieder zurück über Ellernklipp und Diegels Mühle. Da sagt ich mir: ›Ein feines Kind; aber sie träumt bloß und kennt nicht gut und nicht böse.‹ Und so war es damals auch. Aber sie hat es gelernt seitdem, und weil der gute Keim in ihr war, ist nichts Niederes an ihr und in ihr und kein Lug und kein Trug. Und ich will Euch sagen, woher all das Müde kommt, das Euch verdrießt; sie hat eine Sehnsucht, und Sehnsucht zehrt, sagt das Sprüchwort. Ja, Heidereiter, an wem was zehrt, der wird matt und müd. Und seht, *das* ist es.«

Es schien, daß Baltzer Bocholt antworten wollte, Sörgel aber litt es nicht und fuhr in einer ihm sonst fremden Erregung fort: »Achtet nur, wie sie wechselt, und ist mal rot und mal blaß und mal hell und mal trüb. Und seht, das ist nicht Trägheit des Fleisches, die sich wegzwingen läßt, das ist ein Geheimnis im Blut. Ihr wißt ja, woher das rote Haar stammt und die langen Wimpern, und daher stammt auch das Blut. Und wie das Blut ist, ist auch die Seele.«

Der Heidereiter war nicht überführt, aber er beschloß doch, es gehenzulassen.

Und Hilde war nun vierzehn, und am Palmsonntage sollte sie mit Martin und den anderen Konfirmanden eingesegnet werden.

Es waren noch sechs Wochen bis dahin, und als wieder eine biblische Geschichtsstunde war, sagte Sörgel: »Ihr seid nun fest im Alten Testament, und die Hilde weiß es vorwärts und rückwärts. Aber den Alten Bund, den hatten die Juden auch, und ist nun Zeit, Kinder, daß wir uns um Jesum Christum, unseren Herrn und Heiland, kümmern. Sage mir, Hilde, was du von ihm weißt?«

Hilde richtete sich auf und säumte nicht, von Bethlehem und Christi Geburt eine gute Beschreibung zu machen; und als er fragte, wo sie das herhabe, berichtete sie von der ersten Weihnachtsbescherung in ihres Pflegevaters Haus und von der Krippe, die Martin aufgebaut, und zuletzt auch von dem Aufschluß, den ihr Grissel gegeben habe.

»Das ist gut. Und ich sehe wohl, die Grissel ist eine kluge Person und ein rechtes Küsters- und Schulmeisterskind, dem es von Jugend auf alles in succum et sanguinem gegangen ist, das heißt: in Fleisch und Blut. Und darauf kommt es an. Denn seht, Kinder, das Christentum will erfahren sein, das ist die Hauptsache; aber es muß freilich auch *gelernt* werden, dann hat man's, wenn man's braucht. Etwas Schule brauchen wir alle. Nicht wahr, Hilde?«

Hilde schwieg aus Respekt, und der Alte fuhr fort: »Es muß auch gelernt werden, sag ich. Und so lernet mir denn die drei Stücke, darin steckt alles. In den drei Stücken und in den Zehn Geboten. *Die* gehören mit dazu, sonst wird uns in unserem Glauben zu wohl, und wir vergessen um des Jenseits willen, was wir dem Diesseits schuldig sind. Also die drei Hauptstücke. Heut ist Dienstag, und nächsten Dienstag frag ich euch danach. Da habt ihr eine volle Woche Zeit. Und nun geht und gehabt euch wohl, und Gott und ein gutes Gedächtnis seien mit euch.«

Und nun war wieder Dienstag, und beide Katechumenen saßen wieder auf der kleinen Bank in der stillen

Stube. Martin sah tapfer und sicher aus, aber Hilde schlug verlegen die Augen nieder.

»Also die drei Hauptstücke«, hob Sörgel an. »Nun laß hören, Hilde. Rasch und fest. Aber nicht *zu* rasch.«

»Ich glaube an Gott den Vater, allmächtigen Schöpfer Himmels und der Erden.«

»Gut. Also du glaubst an Gott den Vater, allmächtigen Schöpfer Himmels und der Erden. Und nun gib mir auch unseres Doktor Luthers Erklärung und sage mir: Was ist das?«

»Ich glaube, daß mich Gott geschaffen hat …« Hier stockte sie und war wie mit Blut übergossen. Endlich aber sagte sie: »Weiter weiß ich es nicht.«

»Ei, ei, Hilde … Hast du denn nicht gelernt?«

»Ich habe gelernt … Aber ich kann es nicht lernen …«

»Und du wußtest doch das erste.«

»Ja, das erste kann ich und das zweite kann ich beinah. Aber das dritte kann ich *nicht*. Und ›Was ist das?‹, das kann ich *gar* nicht.«

Sörgel, der sonst immer einen Scherz hatte, sagte nichts und ging in seinen Sammetstiefeln auf und ab. Endlich blieb er vor Martin stehen, schlug ihn mit der Hand leise unters Kinn und sagte: »Martin, du kannst es. Nicht wahr?«

»Ja, Herr Prediger.«

»Ich dacht es mir«, antwortete Sörgel, und ein leiser Spott umspielte seine Züge. Dann aber ging er auf den Tisch zu, wo die Bibel lag, und blätterte darin, alles nur, um seiner Erregung Herr zu werden, und sagte dann, indem er sich wieder an Hilde wandte: »Höre, Hilde, der Tag deine Einsegnung ist nun vor der Tür, und wenn ich dich in die christliche Gemeinschaft einführen soll, so mußt du christlich sein. Ich will dich aber nicht mit dem Worte quälen, der Geist macht lebendig, und so sage mir denn auf *deine* Weise, was ist ein Christ?«

»Ein Christ ist, wer an Christum glaubt. Das heißt an Christum als an den eingeborenen Sohn Gottes, der uns durch einen schuldlosen Tod aus *unserer* Schuld erlöset hat. Und darum heißt er der Erlöser. Und wer an den Erlöser und seinen Erlösertod glaubt, der kommt in den Himmel, und wer nicht an ihn glaubt, der kommt in die Hölle.«

Der Alte lächelte bei dem Schlußworte dieses Bekenntnisses und sagte: »Brav! Und ich will den wilden Schößling an deinem jungen Glaubensbaume nicht wegschneiden. Aber muß es denn eine Hölle geben? Meinst du, Hilde?«

»Ja, Herr Pastor.«

»Und warum?«

»Weil es gut und böse gibt und schwarz und weiß und Tag und Nacht.«

»Und von wem hast du das?«

»Von Melcher Harms.«

»Ah, von *dem*!« antwortete der Alte. »Ja, der tut es nicht anders. Und wir wollen es dabei lassen, wenigstens heute noch. Sind wir erst älter, so findet sich's, und wir reden noch darüber ... Und für heute nur noch das: Martin soll den Glauben sprechen, und du sollst ihn *nicht* sprechen. Aber ich denke, du *hast* ihn, hast ihn in deinem kleinen Herzen, und ich wollt, es hätt ihn jeder so.«

Und er streichelte sie liebevoll, als er so sprach, und setzte mit ernster Betonung hinzu: »Du hast die Zehn Gebote, Hilde. *Die* halte. Denn die haben *alles*: den ewigen Gott und den Feiertag, und du sollst Vater und Mutter ehren, und haben das *Gesetz*, das uns hält und ohne das wir schlimmer und ärmer sind als die ärmste Kreatur. Ja, Kinder, wir haben viel hohe Bergesgipfel; aber der, auf dem Moses stand, das ist der höchste. Der reichte bis in den Himmel ... Und nun sagt mir zum Schluß, was heißt Sinai?«

»Der Berg des Lichts«, fuhren beide heraus.

»Gut. Und nun geht nach Haus und seid brav und liebet euch.«

Fünftes Kapitel

Hilde wird eingesegnet

Und nun war die Woche vor Palmsonntag, wieder ein Dienstag, und die beiden Kinder hatten ihre letzte Stunde gehabt und wollten über den Kirchhof zurück. Aber es ging nicht, wie sie bald sehen mußten, denn überall stand Wasser um die Gräber her, und der Wind, der seit Tagesanbruch wehte, hatte noch nicht Zeit gehabt, die Lachen und Tümpel wieder auszutrocknen. So gingen sie draußen entlang, einen schmalen Weg hin, wo Steine lagen und zu beiden Seiten eine Stechpalmenhecke grünte. Hier pflückte sich Hilde ein paar von den blanken Blättern, hielt sie sich vor und sagte: »Sieh, Martin, wie hübsch es kleidet. Aber nächsten Sonntag – und das sind bloß noch fünf Tage –, da krieg ich einen ordentlichen Strauß, mit Blumen aus dem Treibhaus oben. Denn Grissel kennt den Gärtner, und ist noch Verwandtschaft von ihr.«

»Einen Strauß aus dem Glashaus oben«, wiederholte Martin. »Oh, das ist hübsch! Aber die Leute werden wieder sagen: Ei, seht die Heidereiters mit ihrer Hilde; die möchten am liebsten eine Gräfin aus ihr machen.«

»Ist es so, wie du sagst, dann will ich keinen Strauß.«

»Ach, du mußt dich nicht an das Gerede der Leute kehren.«

»Ich kehre mich aber daran und will nicht, daß sie nach mir hinsehen und zischeln. Und wenn ich gar einen sehe, der mich beneidet, dann ist's mir immer wie ein Stich und als fiele mir ein Tropfen Blut aus dem Herzen. Und ist ganz heiß hier und tut ordentlich weh. Hast du das auch?«

»Nein, ich hab es nicht. Ich hab es gern, wenn mich einer beneidet.«

Und so plaudernd, waren sie bis an die Birkenbrücke gekommen und blieben stehen, um das angeschwollene Wasser unter dem kleinen Holzjoche hinbrausen zu sehen. Allerhand braune Blätter und Rindenstücke tanzten auf dem Gischt umher, und die großen Steine, die sonst mit ihrer Oberfläche trocken lagen, waren heute überschäumt.

Hier standen sie lange, den Blick immer nach unten gerichtet, bis Martin wie von ungefähr aufsah und auf kaum hundert Schritte den Heidereiter in einem unsteten Gange herankommen sah. Er ging hart am Bache hin und trug sein Gewehr am Riemen über die linke Schulter, seinen Hut aber nahm er oft ab und wischte sich die Stirn mit seinem Sacktuch, was alles darauf hindeutete, daß er in großer Erregung war.

»Sieh, der Vater«, sagte Martin und wollte ihm entgegeneilen. Aber Baltzer, als er dessen gewahr wurde, winkte ihm heftig mit der Hand, zum Zeichen, daß er bleiben solle, wo er sei, und schritt, ohne sich weiter umzusehen, rasch auf das Haus zu. Der braune Jagdhund, der ihm folgte, senkte den Kopf ins nasse Gras und tat auch, als ob er die Kinder nicht sähe.

»Was ist das?« sagte Martin. »Komm.«

Aber Hilde hielt ihn fest und sagte: »Nein, bleib.«

Und so blieben sie noch und gingen endlich, statt ins Haus, auf ihrem früheren Wege bis an die Kirchhofsmauer zurück. Da setzten sie sich auf eine niedrige Stelle, gerade da, wo die Stechpalmenhecke war, und sprachen kein Wort.

Und nicht lange, so sahen sie, wie der Vater über die Brücke kam, und weil sie sich vor ihm fürchteten, traten sie hinter die Hecke zurück, um nicht gesehen zu werden. Aber sie selber sahen ihn. Er hatte seinen Stutzhut auf und den Hirschfänger umgeschnallt, und aus allem war ersichtlich, daß er aufs Schloß hinauf wollte. Beide sahen ihm ängstlich nach, und erst als seine breite Gestalt auf dem Schlängelwege verschwunden war, kamen sie wieder aus ihrem Versteck hervor.

Auf der Diele trafen sie Grissel, die vor sich hin sprach und dem Hühnerhunde Brot einbrockte. Der aber ging immer nur um die Schüssel herum und begnügte sich, ein paar Fliegen zu fangen, die hin und her summten. Und dann schlich er auf das Rehfell zu, das neben der Hoftür lag, streckte sich aus und klappte verdrießlich mit den Ohren.

»Was ist, Grissel?« fragte Martin.

»Was ist? Er hat den Maus-Bugisch über den Haufen geschossen.«

»Tot?«

»Versteht sich. Er wird ihn doch nicht halb totschießen. Das ist gegen die Regel. Dein Vater tut nichts Halbes.«

»Um Gottes Barmherzigkeit willen!« schrie Hilde, fiel in die Knie und betete vor sich hin: »Vater unser, der du bist im Himmel.« Und in ihrer furchtbaren Angst betete sie weiter, bis die Stelle kam: »Unser täglich Brot gib uns heute.«

Da riß Grissel sie heftig auf und sagte: »Was, täglich Brot! Als ob du's nicht hättest! Du *hast* dein täglich Brot; und wenn du beten willst, so bet ums Rechte. Hier aber ist nichts zu beten. Er wollte deinem Vater ans Leben, und ist nun die dritte Woch, daß er's ihm zugeschworen. Aber der war flinker und fragt nicht lang und spaßt nicht lang. Ja, das hat er noch von den Soldaten her. Und ich sage dir, Hilde, das ist nun mal nicht anders, und mußt dich dran gewöhnen. Denn du bist hier in eines Heidereiters Haus, und da heißt es: er oder ich. Und wie steht es denn in der Bibel? Aug um Auge und Zahn um Zahn.«

»Und liebet eure Feinde.«

»Ja, das steht auch drin. Und für den, der's kann, ist es gut genug. Oder vielleicht auch besser oder vielleicht auch ganz gewiß; denn ich will mich nicht versündigen an meinem Christenglauben. Aber was ein richtiger Heidereiter ist, der hält auf den Alten Bund und aufs Alte Testament. Und warum? Weil es schärfer ist und weil er's jeden Tag erfahren muß: Wer leben will, der muß scharf zufassen … Und nun komm, Hildechen, ich will dir ein Glas Wein geben, von dem ungerschen, den du so gern hast, und er wird nichts dagegen haben. 's ist ja für *dich*. Und dann mußt du wissen, so was kommt auch nicht alle Tag … Aber sieh nur, da bringen sie ihn schon.« Und sie wies vom Fenster aus auf eine Stelle, wo der Buschweg, der neben dem Bache hinlief, in den großen Fahrweg einbog. Aber Hilde, die wie gestört war, wollte nichts sehen und lief auf die Hoftür zu, wo der Hühnerhund lag, und bückte sich und umarmte das Tier. Und der Hund, der wohl wußte, was es war, weimerte vor sich hin und fuhr ihr mit der Zunge über Stirn und Gesicht.

Inzwischen waren Grissel und Martin von der Stube her auf die Vortreppe gegangen und sahen in aller Deutlichkeit, wie sie den Wilderer auf der großen Straße herantrugen. Es waren ihrer vier, lauter Holzschläger; sie hatten aus ein paar jungen Ellern eine Trage gemacht. Über den Toten selbst aber waren Tannenzweige gebreitet. Und so gingen sie vorüber und grüßten nicht.

»Sieh, Martin«, sagte Grissel, »sie grüßen uns nicht. Und ich weiß wohl, warum nicht. Weil ihnen allen der Wilddieb im Leibe steckt. Oh, ich kenne sie! Was Gesetz ist, das wissen sie nicht. Und ein Glück ist es, daß *wir* es wissen. Und nun komm … Die Hilde kann kein Blut sehen und hat sich, als ob es der letzte Tag wäre … Aber es lernt sich …«

Und damit gingen sie wieder ins Haus.

Unter Sturm und Regen hatte die Woche begonnen und blieb auch so bis zuletzt, und wenn der Himmel einmal blau war, so ballte sich rasch wieder ein neu Gewölk zusammen und kam von den Bergen herunter und ging zu Tal. Und dabei war es kalt, und Hilde fror.

Es war eine freudlose Woche, freudlos und unruhig, und jeder ging seinen Weg; aber sowenig dies alles zu Palmsonntag paßte, so war es doch auch wieder ein Glück und half Hilden über die Pein fort, an der Seite des Vaters sitzen und ihm in die Augen sehen zu müssen. Er war viel aus dem Haus, oben bei der Gräfin und dann wieder auf dem Ilseburger Gericht, und wenn er spätnachmittags zurückkehrte, schloß er sich ein und wollte niemand sehen, auch Hilde nicht. Er war verbittert, weil ihm nicht entgehen konnte, daß ihm die Herren vom Gericht in der Bugisch-Sache nur ein halbes Recht gaben, und weil ihn die Gräfin gefragt hatte: »Baltzer Bocholt, *mußt* es denn sein?« Und er hatte bitter geantwortet: »Ob es mußte? Ja, Frau Gräfin, es *mußte*. Denn ich bin nicht bloß ein Mann im Dienst, ich bin auch ein Christ und kenne das fünfte Gebot und weiß, was es heißt, eines Menschen Blut auf der Seele haben.« Und danach hatte die Gräfin eingelenkt und ihn wieder zu beruhigen gesucht. Aber die Kränkung war geblieben.

Und so kam Palmsonntag und Einsegnung heran, und schon in aller Frühe gingen die Glocken. Als es aber das zweite Mal zu läuten anfing, erschien Baltzer Bocholt in der Tür seines Hauses und sah ernst und feierlich aus und nahm seinen Hut ab und strich ihn zwei-, dreimal mit dem einen seiner gemsledernen Handschuhe. Denn er war sich wohl bewußt, daß es auch ein wichtiger Gang für *ihn* war und daß viele von den Emmerodern ebenso dachten wie die Gräfin oben und sich auch die Frage gestellt hatten: ob es denn habe sein müssen? Er wußte dies alles und stieg langsam und in Gedanken die Vortreppe nieder, und erst jenseits der Birkenbrücke sah er sich nach den Kindern um, die wenige Schritte hinter ihm folgten. In einiger Entfernung aber kam Grissel und weit zurück erst Joost. Er hatte mit Grissel gehen wollen, die jedoch ärgerlich den Kopf geschüttelt und ihm gesagt hatte: »Nei, Joost, hüt nich.« Und er mußte sich's gefallen lassen; denn er war bloß eines Büdners Sohn und sprach immer platt.

In der Kirche waren erst wenige Plätze besetzt, und nur die Orgel spielte schon. Und Baltzer Bocholt, als er eintrat, ging das Kirchenschiff hinauf und nahm hier auf einer der beiden Bänke Platz, die für die nächsten Verwandten der Einsegnungskinder bestimmt waren. Es war die nach rechts hin stehende Bank, und Martin und Hilde stellten sich dicht davor, ganz nahe dem Altar, alles, wie Sörgel es ihnen gesagt hatte.

Und hier hörte nun Hilde, wie sich die Kirche hinter ihr füllte, und sah auch mit halbem Auge, wie sich die Reihe der neben ihr stehenden Kinder nach beiden Seiten hin verlängerte. Aber sie rührte sich nicht und blickte sich nicht um. Und nun wurde gesungen; und als der Gesang endlich schwieg und Martin das Glaubensbekenntnis gesprochen hatte, richtete Sörgel seine Fragen an die Konfirmanden. Aber Hilden frug er nicht, denn er sah wohl, daß sie todblaß war und zitterte. Und nun gab er jedem Kinde seinen Spruch; an die vor ihm kniende Hilde aber trat er zuletzt heran und sagte: »Laß dich nicht das Böse überwinden, sondern überwinde das Böse mit Gutem.« Und sie wog jedes Wort in ihrem Herzen und kniete noch, als alles schon vorüber war und jedes der Kinder sich schon gewandt hatte, um Vater und Mutter zu begrüßen.

Ganz zuletzt auch wandte *sie* sich und sah nun, daß ihr Vater auf seiner Bank allein saß.

Und ein ungeheures Mitleid erfaßte sie für den in seiner Ehre gekränkten Mann, und sie vergaß ihrer Angst und lief auf ihn zu und küßte ihn.

Von Stund an aber wär er jeden Augenblick für sie gestorben. Denn er war ein stolzer Mann, und es fraß ihn an der Seele, daß man ihn sitzen ließ, als säß er auf der Armensünderbank.

Und indem er sich höher aufrichtete, nahm er jetzt Hildens Arm und ging festen Schrittes auf den Ausgang zu, zwischen den verdutzt dastehenden Bauern und ihren Frauen mitten hindurch. Einige traten an die Seite und grüßten, und es war beinahe, als ob das, was Hilde getan, die Herzen aller umgestimmt und ihren Groll entwaffnet habe. Hinter ihnen her aber ging Martin und freute sich, daß sich die Schwester ein Herz genommen.

Und auch Grissel freute sich, die noch von ihres Vaters Tagen her ihren Platz oben auf dem Orgelchor hatte. Manches aber freute sie *nicht*, und sie sah dem Paare nach und sprach in Platt vor sich hin, wie sie's zu tun liebte, wenn sie mit sich allein war: »I, kuck eens … Uns' Oll' …! Un reckt sich orntlich in de Hücht … Un nu goar uns' Lütt-Hilde! Kuck, kuck. Seiht se nich ut, as ob se vun 'n Altar käm? Un fehlt man bloot noch de Kranz. Un am End kümmt de *ook* noch … Un worümm *sall* he nich koamen?«

Sechstes Kapitel

Hilde schläft am Waldesrand

Jahre waren seitdem vergangen, und im Dorfe gedachte niemand mehr der Vorgänge jener Palmsonntagwoche, weder des erschossenen Wilderers noch des Einsegnungstages. Auch Hilde hatte sich in Grissels Spruch: »Er oder ich« allmählich zurechtgefunden, und nur jedesmal, wenn der Heidereiter erregt nach Hause kam, die Stirn kraus und das Auge mit Blut unterlaufen, befiel sie wieder die Furcht jener Tage. Doch nie lange. Kaum daß seine Stirn wieder glatt und sein Ärger vorüber war, war auch ihre Furcht vorüber, und nur eine Scheu blieb ihr zurück, über die sie nicht weiter nachdachte, weil sie sie für natürlich hielt. War doch auch Martin scheu, ja, Grissel ausgenommen, eigentlich jeder; unter allen Umständen aber schloß diese Scheu die Heiterkeit des Hauses nicht aus, und wenn in der Küche, wie jetzt öfters zu geschehen pflegte, das Gespräch auf des Heidereiters immer grauer werdenden Bart kam und Joost in seiner neckischen und dummschlauen Weise hinwarf: »Ojemine, Grissel, de Grissel kümmt em in!«, so vergaß ein jeder des mehr oder minder auf ihm lastenden Druckes und vergnügte sich und lachte. Am herzlichsten aber lachte Hilde.

Die war jetzt überhaupt anders als in ihren Kinderjahren, und noch letzte Kirmes, als sich alles im Tanze drehte, hatte Sörgel zu dem neben ihm stehenden Baltzer gesagt: »Und nun seht einmal, Heidereiter, alle sind gesunder und blühender; aber die Hilde blüht.« Und so dachte jeder im Dorf, auch *die*, die's ihr neideten, und nur

Grissel, wenn sie mit Joost ihren plattdeutschen Diskurs über Hilde hatte, fand seit kurzem allerhand an ihr auszusetzen. »Ick weet nich, Joost, dat Grafsche geiht ümmer mihr torügg, un uns' Muthe kümmt ümmer mihr rut. Finnste nich ook?« Und so ging es weiter. Aber so gern sie dieses und ähnliches sagte, so hütete sie sich doch, es Baltzer hören zu lassen, der seit einiger Zeit überhaupt darauf hielt, »daß ein Unterschied sei«.

Es waren jetzt zwei Jahre, daß zum ersten Male von diesem »Unterschied« gesprochen worden war, und was die Veranlassung dazu gegeben hatte, das war im Sinn und Herzen des Heidereiters unvergessen geblieben.

Und konnt auch nicht anders sein.

Ein sehr heißer Julitag war es gewesen und alles ausgeflogen, auch Hilde zu Melcher Harms auf die Sieben-Morgen hinauf, um mit ihm zu plaudern. Aber ihr Gespräch, so leicht es sonst zu gehen pflegte, hatte heute gestockt, weil eben die Hitze zu groß war, und Hilde war höher hinaufgestiegen, um da, wo Wald und Heide aneinandergrenzten, eine schattige Stelle zu suchen. Und auch zu finden. Hier hatte sie sich niedergelegt, sich's bequem gemacht und war eben eingeschlafen, als der Heidereiter seines Weges kam und plötzlich gewahr wurde, daß sein Hühnerhund stand. Es war nicht Jagdzeit, aber er nahm doch die Flinte von der Schulter und schlich leise heran, um zu sehen, was es sei. Da lag Hilde, den einen Arm unterm Kopf, und sah geschlossenen Auges in den Himmel. Ihr Haar hatte sich gelöst, und ihre Stirn war leise gerötet, und alles drückte Frieden und doch zugleich ein geheimnisvolles Erwarten aus, als schwebe sie, traumgetragen, einem unendlichen Glücke nach. Um sie her aber summten ein paar Bienen, und die Sonne schien, und das Heidekraut duftete. Da mußte Baltzer des Wortes wieder gedenken, das Sörgel letzten Herbst erst gesprochen hatte: »Die Hilde blüht«; und er wiederholte sich's, hing das Gewehr über die Schulter und sah andächtig und verworren dem Bilde zu, bis er sich heimwärts wandte. Neben ihm her aber ging das Bild, und als eine Stunde später die Hilde nach Hause kam, vermied er es, sie zu sehen, wie wenn er etwas Unrechtes getan und durch die zufällige Begegnung ihr Innerstes belauscht oder ihr Schamgefühl beleidigt habe. Diese Verwirrung und Unruhe blieben ihm auch, und er mußte sich's zuletzt, alles Sträubens ungeachtet, in seinem Herzen bekennen: er habe sie mit anderen Augen angesehen als sonst. Ja, das war es. Und er schämte sich vor sich selbst. Aber zuletzt bezwang er's, und nur zweierlei blieb ihm in der Seele zurück: einmal, daß die Hilde kein Kind mehr sei, und zweitens und hauptsächlichst, daß sie *sein* Kind nicht sei. Diese zweite Wahrnehmung indessen ging niemanden etwas an, und so war es denn lediglich um des ersten Punktes willen, daß er am folgenden Tage die Grissel in seine Stube rief.

Diese hatte den Türknopf in der Hand behalten und stand auf der Schwelle wie jemand, der rasch wieder fort will; als sie jedoch merkte, daß es ein langes und breites geben würde, kam sie näher und stellte sich mit ihrer Schulter bequem an den Ofen, während der Heidereiter in ersichtlicher Erregung auf und ab ging. Endlich aber begann er: »Es ist wegen der Hilde, daß ich mit dir sprechen will. Ich denke, Grissel, wir sind einerlei Meinung und bleiben gute Freunde. Denn du bist eine verständige Person …«

»All Fruenslüd sinn unverstännig.«

»Wer sagt das?«

»Joost.«

»Joost ist ein Narr«, entgegnete Baltzer. Aber die kleine Zwischenbemerkung war ihm doch gelegen gekommen, und er fuhr nun freier fort: »Also wegen der Hilde. Sie ist nun achtzehn, schon ein Viertel drüber, und ist kein Kind mehr. Ich denke, sie muß nun aus dem Müßiggang heraus und sich dran gewöhnen, daß sie was unter Pflicht und Obhut hat und nicht so hineinlebt in den Tag, immer bloß bei dem Alten oben oder auf Kunerts-Kamp oder bei Sörgel drüben, der sie verhätschelt und verwöhnt. Das soll nicht sein, und ich *will's* nicht. Sie muß also Arbeit haben, und die müssen wir ihr geben. Da mein ich denn, wir geben ihr die Milchwirtschaft, das Leinenzeug und die Wäsche … Du verstehst?«

»Wohl. Ich versteh.«

»Und alles andere bleibt. Und ist bloß noch das mit der Stub oder der Kammer. Ihr waret immer zusammen, und das war gut. Aber ich denke, wir lassen ihr jetzt den Giebel oben allein, und du nimmst unten die Kammer. Die neben der Küche, die hübsche gelbe, die letzten Herbst erst gestrichen ist; da hast du's warm, und ist auch bequemer für dich und brauchst nicht immer treppauf und treppab … Du verstehst?«

»I, was werd ich nicht verstehen!«

»Und an nichts wird gerührt. Und ist bloß, daß sie jetzt achtzehn geworden und die Tochter vom Hause sein muß. Und wenn sie was sagt, so muß es gelten, und wenn's auch der Joost wär, und muß gelten ohne Streit und Widerrede. Denn viele Köche verderben den Brei. Wobei mir die Küch in den Sinn kommt, die doch immer die Hauptsache bleibt. Und da bleibst du, da hat dir keiner dreinzureden, keiner, auch die Hilde nicht. Und ich werd es ihr ernsthaft sagen und ihr anbefehlen, daß alles beim alten bleibt … Du verstehst?«

»O wohl, ich versteh.«

»Und das war es, Grissel, was ich dir sagen wollte. Vor allem aber denk ich, wir bleiben gute Freunde. Nicht wahr …? Und was hast du denn für heut abend?«

»Ich dacht, 'nen Schlei.«

»Ei, das ist gut! Aber mit Dill, wie du's immer machst. Und nicht blau geschreckt, wie die Hilde neulich. Aufgepaßt, sag ich, und laß dir nicht dreinreden! Es bleibt alles, wie's ist, und das Küchel soll nicht klüger sein als die Henne.»

Siebentes Kapitel

Hilde flicht eine Girlande

Beim Abendessen zeigte sich Baltzer auffallend gesprächig, wie wenn er etwas gutmachen wolle; Grissel aber sagte kein Wort und verblieb auch in ihrem Schweigen, als sie mit Hilden in die Kammer hinaufgestiegen war. Es fiel indessen nicht auf – sie hatte Launen –, und erst am anderen Morgen, als es an ein Um- und Einrichten ging und der Heidereiter die Treppe hinaufrief: »Ja, Hilde, du sollst nun allein sein!«, wußte diese, was es mit der Grissel und deren Schweigsamkeit auf sich habe. Der ganze Hergang erfüllte sie mit einem Zwiespalt. Aus ihr selber heraus würd ihr der Gedanke solcher Trennung nie und nimmer gekommen sein, am wenigsten als Wunsch; andererseits war es ihr nicht unlieb, es *ohne* ihr Wissen und Zutun geschehen zu sehen, und weil ihr Verstellung und Lüge fremd und zuwider waren, so sagte sie nur: »Ich werde dich oft vermissen, Grissel, ängstlich und furchtsam, wie ich bin.« Aber diese, die gerade zwei von den großen Einlegebrettern ihrer Bettlade zusammenklappte, tat, als habe sie nichts gehört, kommandierte vielmehr mit lauter Stimme weiter und knickste, wenn Joost nach diesem oder jenem fragte, wie besessen in die Welt hinein und sagte: »Joa, mien leew Joost, ick weet et nich; doa möten wi dat *Frölen* froagen.« Endlich aber hatte der Lärm ein Ende, wenn auch freilich nicht der Ärger, und als Grissel eine Stunde später mit der Hand an die Küchenwand fühlte, neben der jetzt ihr Bett stand, sagte sie: »Föhl moal, Joost; nei, hier, *disse* Stell; hübsch woarm is et; un alle Morjen de Sünn dato. Na, frieren werd ick joa nich.«

Und in solchen Spitzen und Spöttereien, die sich abwechselnd gegen Baltzer und gegen Hilde richteten, ging es den ganzen Tag, bis sie sich am Abend auf ihr Bett warf und wieder erbost an der warmen Wand herumtastete, fest entschlossen, ein halbes Jahr lang nicht zu sprechen und dem »Frölen« das Leben und die Herrschaft so sauer wie möglich zu machen.

Und es würd auch so gekommen sein – an ihrem guten Willen gebrach es nicht –, wenn es Hilden im entferntesten eingefallen wäre, Befehl und Herrschaft üben zu wollen. Aber ihrer Natur entsprach viel, viel mehr eine Gleichgültigkeit dagegen, und dieser ihr eigentümliche Zug entwaffnete Grissels Zorn in so hohem Grade, daß sie bei bestimmter Gelegenheit zu Joost sagte: »Hür, Joost, ick kann ehr doch nich gramm sinn. He wull wat ut ehr moaken; awers se will joa nich. Un dat möt woahr sinn, se hett wat Fines.«

Und so klang es denn eine gute Weile zwischen den beiden wieder ein, und es hätte vielleicht Bestand gehabt und wäre *ganz* wieder eingeklungen, wenn nicht der Melcher Harms oben auf den Sieben-Morgen gewesen wäre, zu dem Hilde jetzt öfter noch als früher hinaufstieg und länger noch als früher verweilte. Das verdroß Grisseln, die's nicht ertragen konnte, sich so beiseite gedrängt und um den Ruhm ihrer Weisheit und ihrer alten Geschichten gebracht zu sehen, und als eines Tages unsere Hilde zu Martin, der es gleich weiterplauderte, gesagt hatte: »Sieh, Martin, die Grissel gackert doch bloß wie die Hühner, aber unser alter Melcher Harms oben, der ist wie der Weih auf Kunerts-Kamp«, da war es mit dem Einklingen ein für allemal vorbei gewesen, und Grissel, als sie davon gehört, hatte nur höhnisch gelacht und gesagt: »Joa, joa, as de Weih upp Kunerts-Kamp. De nümmt de Lütt-Kinner mit in de Hücht, un groad, wenn se glöwen: nu geiht et in 'n Heben, denn, perdautz! lett he se wedder foalln. Un doa liggen se.«

Seit dem Tage lebten Grissel und Hilde so nebeneinander hin, in einem halben Zustande, der nicht Krieg und nicht Frieden war, und wenn an Grissels Seele beständig etwas wie Neid und Eifersucht zehrte, so wuchs in Hilde der Hang nach Einsamkeit, und sie beglückwünschte sich täglich mehr als einmal, die Giebelstube nicht mehr teilen zu müssen. Und wenn dann Abend war, öffnete sie das

Fenster und sah hinaus, und eine müde, schmerzlich-süße Sehnsucht überkam sie. Wonach? Wohin? *Dorthin*, wo das Glück war und die Liebe. Ja, die … Und Gestalten kamen und zogen an ihr vorüber und grüßten sie und fragten sie; aber sie waren es alle *nicht*. Und zuletzt kam Martin – Martin, der drüben in der Kammer schlief und immer rot wurde, wenn der alte Sörgel in Scherz oder Ernst ein Wort sagte. War *er* es? Nein; ja … und dann wieder nein.

Und es war wieder Herbst; die Berglehnen standen in Rot und Gelb, und die Sommerfäden zogen wieder wie damals, wo Hilde vor nun gerade zehn Jahren ins Haus gekommen war. Aber es dachte niemand mehr daran, auch Hilde nicht, die sich heute, weil es des Heidereiters Geburtstag war, nicht nur in aller Frühe schon herausgemacht, sondern auch in dem noch taufeuchten Garten eine große Girlande von Astern, mit reichlichen Levkojen und Reseda dazwischen, geflochten hatte. Die war nun fertig, und Hilde horchte vom Flur her, ob drinnen in der Stube noch alles ruhig sei. Wirklich, er schlief noch. Und so holte sie leise einen Schemel, öffnete noch leiser die Tür und hing den Girlandenkranz an dem inneren Rahmen auf.

Nicht lange, so war auch der Heidereiter in Staat, und alle Hausinsassen erschienen, um ihm ihre Glückwünsche zu bringen: erst Grissel mit einem Lebenslichte, dann Martin mit einer aus Tannäpfeln und Eichenborke zusammengeklebten Eremitage, zuletzt aber Joost mit einem Händedruck und einem einfachen: »Ick möt doch ook.« Und weiter kam er nicht, was auch Baltzer schon wußte.

Dieser gehörte zu denen, die solche Huldigungen ebensosehr fordern wie rasch wieder davon loszukommen wünschen, und stotterte, bloß um etwas zu sagen, ein mehrmals wiederholtes Bedauern heraus, daß er gerade *heute* nach Ilseburg hinüber müsse, wegen der Knappschaft. Aber in der Dämmerstunde komme er wieder, und dann wollten sie sich einen guten und frohen Tag machen. Einen recht lustigen. Und er freue sich sehr darauf, was auch natürlich sei. Denn es sei sein letzter Geburtstag, den er noch als ein Vierziger feiere; mit fünfzig aber sei Spiel und Tanz vorbei. Und nachdem er dies und ähnliches immer hastiger und immer verlegener gesagt hatte, weil es ihm umgekehrt eigentlich lieb war, an solchem Tage *nicht* zu Hause zu sein, gab er Ordre, daß der kleine Jagdwagen vorfahren solle.

Ja, es war ihm lieb, an solchem Tage *nicht* zu Hause zu sein, aber seinen Hausgenossen war es noch lieber. Immer, auch wenn er sich freundlich zeigte, wurde seine Gegenwart als ein Druck empfunden, und wenn dies schon an gewöhnlichen Tagen der Fall war, so doppelt an solchen, die mit einer gewissen Gewaltsamkeit gemütlich verlaufen sollten. Da war immer Not und Verlegenheit, und als heute mit dem Glockenschlage neun der kleine Jagdwagen vorfuhr und Baltzer im nächsten Augenblicke die Leinen in die Hand nahm, wurden alle Gesichter angeregter und zuversichtlicher, und jeder freute sich nun *wirklich* auf den Abend.

Denn der Abend war kurz. Ein ganzer Tag aber war lang.

Und danach ging ein jeder an seine Geschäfte, die für Hilde nicht viel was anderes als ein süßes Nichtstun waren, auch jetzt nicht, wo »die Milchwirtschaft, die Leinwand und die Wäsche«, wie der Heidereiter bei jeder Gelegenheit aufzuzählen liebte, von ihr besorgt oder doch wenigstens beaufsichtigt werden sollten. Und so setzte sie sich in die Vorlaube draußen und streute Körner für all die Vögel aus, die noch in dem umstehenden Buschwerk trotz vorgerückter Jahreszeit ihre Nester hatten. Als aber die Körner aufgepickt waren, legte sie den Kopf zurück und sah auf den wilden Wein ihr zu Häupten, von dem sich einzelne Zweige losgelöst hatten. Ihre rechte Hand hing herab, und eine Schwarzdrossel, die zahmer war als ihre Genossen, hüpfte vom Gezweig auf die Bank und von der Bank auf die steinerne Tischplatte.

Martin war in den Wald gegangen, um bei den Holzknechten nach dem Rechten zu sehen, Grissel aber hatte sich mitten in den Hof gestellt und scheuerte, dem Geburtstag zu Ehren, ihre Kessel. Ihr zur Seite stand Joost, einen großen Holzbock vor sich, auf den er die Wintersielen gelegt hatte, und war emsig bemüht, unter abwechselnder Anwendung von Federbart und Bürstenstummel das hartgewordene Leder einzuölen und wieder geschmeidig zu machen.

Es ließ sich erkennen, daß sie wie gewöhnlich über Hilde sprachen, und zwar nicht allzu freundlich, denn Grissel unterbrach sich öfters in ihrer Arbeit und guckte durch den Bretterzaun, um zu sehen, ob der Gegenstand ihres Gespräches noch in der Vorlaube säße.

»Se kümmt noch nicht«, sagte sie. »Se sitt noch. Un wenn ook nich, se hürt joa nich und seiht joa nich. Un is ümmer as in Droom.«

»Joa«, bestätigte Joost. »Un ick weet nich, wo't ehr sitten deiht.«

»Wo't ehr sitten deiht? In de Oogen sitt et ehr.«

»Gott«, entgegnete Joost, der wohl wußte, was Grissel gern hörte, »se hett joa goar keen' un pliert man ümmer. Un ick weet nich, hett se se upp oder hett se se to.«

»Dat is et joa groad. Un all sünn, wo keen' een weten deiht, wo se hier sinn un wo nich, de sinn so un behexen dat Mannstüg. Un vunn 't Mannstüg is een as de anner is, un jungsch o'r olsch is goar keen Unnerschied. Un uns' Martin is närrsch, un uns' Oll' is närrsch, un Sörgel is ook närrsch. Un jed een kuckt ehr nah de Oogen, un jed een glöwt, he wihrd wat finn'n. Awers he finndt nix. Un du kuckst ook ümmer.«

»Ick?« sagte Joost etwas verlegen. »I, nei. Glöwst du? Doh ick?«

»Joa, du deihst«, wiederholte Grissel. »Un nu hür, wat mi mien Oll-Großmutter all ümmer vorseggen deih:

»Plieroog un Jungfernkinn,
Alle beed vun 'n Düwel sinn …«

»Düwel sinn«, wiederholte Joost.

»Un moakens ook de Oogen to,
De sloapen nich, de dohn man so.«

»Joa, joa«, lachte Joost. »Ick hebb ook all so wat hürt.« Und setzte dann mit aller ihm möglichen Pfiffigkeit hinzu: »Na, denn möt ick man uppassen.«

»I, du nich«, sagte Grissel. »Du bist man simplig, un *di* dohn se nich veel. Awers anner Lüd. Un dat segg ick di: et is nich richtig mit em.«

»Mit uns' Martin?«

»Mit *em* ook nich ...«

Und Joost spitzte Mund und Ohren, um noch mehr zu hören. Aber in eben diesem Augenblick kam Melcher Harms den diesseitigen Talweg herauf, und Hilde, die schon von weit her das Läuten gehört hatte, sprang rascher, als ihr sonst eigen war, in den Hof und riß die Stalltür auf, aus der nun die Kühe heraustraten und sich ohne weiteres der vorüberziehenden Herde anschlossen.

»Ich seh Euch noch, Vater Melcher!« rief sie dem Alten zu.

Der aber wandte sich und grüßte mit seinem Dreimaster. Und als er den Hut abnahm, sah man wieder den hohen Kamm, der das Haar nach hinten zu zusammensteckte.

Grissel sah es auch und brummte vor sich hin: »Oll Kamm-Melcher! He denkt ook, he is so wat as uns' Herrgott. Un wat is he ...? He is *ook* man behext.«

Achtes Kapitel

Hilde bei Melcher Harms

Um Mittag aber schürzte sich Hilde, nahm eine der großen, zugeschrägten Milchkufen und schritt über ein in den steilen Rasen eingeschnittenes Gartentreppchen erst auf das Feld und dann auf die Sieben-Morgen zu, wo, wie sie wußte, Melcher Harms seine Herde weidete.

Der Alte, den seine siebzig Jahre mehr erhoben als niedergedrückt hatten, war – das Los aller Konventikler – ebensosehr der Spott wie der Neid des Dorfes. Und ein Rätsel dazu. Selbst über seine Zugehörigkeit zu dieser oder jener Sekte wußte niemand Bestimmtes, und wenn er einerseits unzweifelhaft unter dem Einfluß einer herrnhutischen und dann wieder einer geisterseherischen Strömung war, so war es doch ebenso sicher, daß er sich unter Umständen von jedem derartigen Einflusse frei zu machen und seinen eigenen Eingebungen zu folgen liebte. Widersprüche, die dadurch in sein Leben und sein Bekenntnis kamen, kümmerten ihn wenig, am wenigsten aber die Gräfin oben, die gerade um dieser seiner Freiheit und anscheinenden Willkürlichkeit willen an sein Erleuchtet- und Erwecktsein glaubte.

Was Hildens Schritt in diesem Augenblicke beflügelte, war freilich ein anderes und wurzelte neben einem immer wachsenden Hange, den Alten seine Märchen und Geschichten erzählen zu hören, einfach in einem lebhaften Gefühle des Dankes und der Liebe. Schon aus ihrem heute so freudig bewegten Gange sprach dieses Gefühl, und Joost, der sein Sielenzeug eben über den heiß von der Mittagssonne beschienenen Zaun hing, sah ihr nach und sagte: »Süh moal. Mit eens wedder prall und drall.«

Und ihr leichter Schritt hielt an und verriet nichts von Ermüdung. Aber der Weg mußte doch anstrengender gewesen sein als sonst, denn sie war erhitzt, als sie bei Melcher Harms oben ankam. Der saß auf einer großen Graswalze, sein Strickzeug in der Hand, und sagte: »Du kommst wieder wegen der Milch, Hilde. Warum schickst du nicht Mutter Rentsch oder die Christel?« Und dabei nahm er ein großes Stück wollenes Zeug, das ihm als Mantel diente, und warf es ihr über Kopf und Schulter; denn so heiß es auf dem Weg hinauf gewesen, so herbstlich kühl war es oben am Waldrande hin, an dem die Herde weidete.

Hilde ließ sich die Vermummung gefallen, sah ihn freundlich an und sagte: »Die Milch? Ihr wißt ja, Vater

Harms, es ist nicht wegen der Milch, es ist wegen Euch, daß ich komme. Der Vater ist fort nach Ilseburg, und erst um die sechste Stunde will er wieder dasein und einen frohen Tag haben. Denn er hat heute Geburtstag. Neunundvierzig. Und ich finde, es sieht's ihm keiner an.«

»Da hast du recht«, antwortete der Alte. »Und ich will dir sagen, woher es kommt. Er hat die Kraft. Und die Kraft hat er, weil er Gott hat und lebt nach seinen Geboten. Und wäre der da drüben nicht« – und dabei wies er nach dem Pfarrhause hinüber, aus dessen Dach eben ein friedlicher Rauch aufstieg –, »so hätt ich ihn lang in unserem Saal. Aber ich mag es dem Sörgel nicht antun, obwohlen er auf dem Irrpfad ist. Und kann kein Friede sein zwischen ihm und mir.«

»Er hat aber die Liebe«, sagte Hilde.

»Ja, *die* hat er. Nicht die große, die hebt und heiligt und die nur gedeiht, wo der Boden des rechten Glaubens ist; aber die kleine hat er, die heilt und hilft. Und *weil* er sie hat und weil er *das* hat, was die Menschen ein gutes Herz nennen, darum laß ich ihn und decke seine Schwäche vor aller Welt nicht auf.«

Unter diesem Gespräch hatte sich Hilde wieder aus dem Stück Zeug herausgewickelt und warf es ein paar Schritte hinter sich auf eine Stelle zu, die hoch in Gras stand, als ob sie bei der letzten Heumahd vergessen wäre. Die vordersten Bäume des Waldes traten bis dicht heran und bildeten ein Dach darüber.

»Es ist keine gute Stelle«, sagte der Alte, während er sich halb umwandte. »Da liegt der Heidenstein. Und ist ein Spuk dabei.«

»Spuk!« lachte Hilde. »Spuk! Und Ihr glaubt daran, Vater Melcher? Ich nicht, und der alte Sörgel auch nicht. Und wenn er hörte, daß Ihr von Spuk sprecht, so würd er auch wohl von ›Irrpfad‹ sprechen. Aber von *Eurem*!«

»Ja, das würd er«, antwortete Melcher Harms. »Ein jeder nach seinen Gaben. Und der Alte drüben ist arm und dunkel. Am dunkelsten aber da, wo seine Vernunft und seine

Weisheit anfängt und sein Licht am hellen Tage brennt. Denn der halbe Glaube, der jetzt in die Welt gekommen ist und mit seinem armen irdischen Licht alles aufklären und erleuchten will und sich heller dünkt als die Gnadensonne, das ist das unnütze Licht, das bei Tage brennt.«

»Aber, Vater Melcher, Ihr sprecht von halbem Glauben und steht mit Eurem Spuk in dem, was schlimmer ist, im Aberglauben.«

»Nein, Hilde. So gewiß ein Gott ist – und ich hab es dir oft gesagt, und du hast es mir nachgesprochen –, so gewiß auch ist ein Teufel. Und sie haben *beid* ihre Heerscharen. Und nun höre wohl. An die lichten Heerscharen, da glauben sie, die Klugen und Selbstgerechten, aber an die finsteren Heerscharen, da glauben sie *nicht*. Und sind doch so sicher da wie die lichten. Und tun beide, was über die Natur geht, *über die Natur, soweit wir sie verstehen.* Und tun es die guten Engel, so heißt es Wunder, und tun es die bösen Engel, so heißt es Spuk.«

»Und meint Ihr, daß auch die Gräfin drüben daran glaubt?« entgegnete Hilde.

»*Die* glaubt daran, denn sie hat davon an ihrem eigenen Haus erfahren. Aber auch das Wunder und die Gnade. Denn ihr Urahn, der war Kämmerling im Dienste von Herzog Heinrich, von dem du wissen wirst. Und als der Herzog Heinrich wiederkam aus dem Gelobten Lande und der Spuk und der Versucher überwunden waren, da war alles Wunder und Gnade. Wunder und Gnade durch viele Jahre hin.«

»Oh, erzählt mir davon! Und danach auch von dem Kämmerling.«

Melcher Harms lächelte, daß ihr der Urahn der Gräfin so vor allem am Herzen zu liegen schien, und begann dann, während er sein Strickzeug wieder in die Hand nahm: »Es sind nun schon viele hundert Jahre, und unser Schloß drüben hatte noch keine Zacken und Giebel, da war alles hier herum ein großes, großes Land, und der Herr in dem Lande war Herzog Heinrich. Das Land aber hieß, wie heute noch, das Braunschweiger Land. Und als Kaiser Rotbart auszog, um das Grab zu gewinnen, da zog auch der Herzog Heinrich mit ihm, und seine Herzogin Mechthildis ließ er zurück in seinem Schloß.«

»Und auch den Kämmerling?«

»Auch *den.*«

»Und wie hieß der?«

»Einhart von Burckersrode. Der blieb bei der Herzogin und war schon alt. Herzog Heinrich aber fuhr mit dem Kaiser flußabwärts viele, viele Wochen lang. Und auf Ostern kamen sie bis an eine große Stadt, die schon am Meere lag, und empfingen Geschenke, so viel, daß sich jeder, der mit ihnen war, in Sammet und Seide kleiden konnte.«

»In Sammet und Seide!« bewunderte Hilde.

»Und danach stiegen sie wieder zu Schiff und fuhren dem Gelobten Lande zu. Aber sie fanden es nicht, und alle starben Hungers; und als die Not am größten war, da senkte sich ein Wundervogel herab, den sie Greif nennen, der hob den Herzog in seinen Fängen auf und trug ihn ans Ufer in sein Nest. Da waren viel junge Greife, die die Hälse nach ihm reckten, aber er erschlug sie, groß und klein, und nahm eine Greifenklaue mit sich. Die hängt im Dome bis diesen Tag.«

»Ich weiß. Aber wie geht es weiter?«

»Und danach stieg unser Herzog aus dem Greifennest und sah sich in einem tiefen Walde, darin ein Drachen und ein Löwe miteinander kämpften. Er aber stellte sich zu dem Löwen und tötete den Drachen. Und von Stund an war ihm der Löwe treu und untertan und trug ihm die Hirsch und Rehe zu.

So zogen sie miteinander eine lange Strecke Wegs; aber der Wald war endlos, und sie kamen nicht heraus.

Da befiel den Herzog eine tiefe Trauer, zumal wenn er an sein Land und seine Herzogin gedachte. Denn es ging nun schon in das siebente Jahr, daß er ausgezogen war. Und als er so lag, erschien ihm der Versucher und sagte:

›Gestern mittag ist ein anderer bei dir eingezogen und will Wirtschaft halten. Und er nimmt dein Weib und dein Land.‹ Und bei diesen Worten grämte sich der Herzog mehr noch als zuvor, denn er liebte die Herzogin; und er rang und betete, wie wir alle tun, wenn wir in Not und Bitterkeit des Herzens sind, und rief Gott an um seine Hülfe und seinen Beistand. Und das alles hörte der Versucher und sagte: ›Du redest umsonst zu deinem Gott; *ich* aber, ich werde dir helfen und dich bis in deine Stadt führen, *heute* noch, und dich ohne Schaden auf den Giersberg niederlegen. Danach aber werd ich in diesen Wald zurückkehren und auch deinen Löwen einholen. Und alles, was du zu tun hast, ist, daß du zwischeninne nicht schlafen sollst; und schläfst du *nicht*, so hast du gewonnen, und schläfst du *doch*, so hast du verspielt und bist mein mit Leib und mit Seele.‹

Darein willigte der Herzog, und der Versucher ergriff ihn und trug ihn im Sturme durch die Luft.«

In diesem Augenblick aber zuckte Hilde heftig zusammen, denn ein Windstoß, als wär es der Sturm, von dem Melcher Harms eben gesprochen hatte, fuhr über die Stelle fort, wo sie saßen, und die Schalen der Bucheckern, die bis dahin oben am Waldesrande hin gelegen hatten, tanzten an ihnen vorüber.

Und dann war es wieder still, und der Alte, der des Zwischenfalles nur wenig geachtet hatte, nahm den Faden wieder auf und erzählte weiter: »Und siehe, der Versucher hielt sein Wort und legte den Herzog auf den Giersberg nieder und fuhr auch im Fluge wieder zurück, daß er den Löwen hole. Den Herzog aber überkam eine Todesmüdigkeit, und wiewohlen er wußte: ›Wachet und betet‹, so war seines Fleisches Schwäche doch größer als seine Kraft, und er schlief ein. Fest und schwer. Und als nun der Böse mit dem Löwen abermals herankam und schon aus der Ferne den Herzog schlafen sah, da wurd ihm wohl in seinem teuflischen Herzen, und er freute sich seines Sieges; aber der Löwe hatte seinen Herzog auch gesehen, und weil er den Schlafenden nicht als schlafend erkannte, wohl aber ihn schon gestorben glaubte, so fing er an zu brüllen vor Schmerz über den Tod seines Herrn. Und von diesem Gebrüll erwachte der Herzog und war gerettet, gerettet durch die *Treue*. Ja, Hilde, die rettet immer. Und Gott erhalte sie dir, so du sie hast, und gebe sie dir, so du sie nicht hast.«

Es war ersichtlich, daß er in gleichem Sinne noch weitersprechen wollte. Wie von ungefähr aber wurd in eben diesem Augenblick ein Knistern hörbar, und als beide sich umblickten, sahen sie, daß Martin auf dem Heidensteine stand und das Mantelstück ihnen zu Gruß und Willkommen entgegenschwenkte. »Hoiho!« Und gleich danach sprang er auf sie zu, bot ihnen guten Tag und setzte sich.

»Von wo kommst du?« fragte Hilde.

»Von woher ich immer komme. Von den Holzschlägern. Es ist jetzt *da* hin, daß sie schlagen, keine fünfhundert Schritt hinter Ellernklipp. Und wenn Vater Harms den Wiesenstrich nimmt, der zwischen dem Kamp und dem Walde läuft, dann ist es zum Abrufen nah.«

»Aber wie kamst du nur auf den Stein?«

»Ich schlich mich ran und duckte mich.«

Unter diesem Gespräche war Melcher Harms immer ernster und unruhiger geworden. Hilde jedoch hatte seiner Unruhe nicht acht und sagte nur: »Ich will das Ende hören.«

Und der Alte bezwang alles, was von Furcht und Sorge während dieser letzten Minuten über ihn gekommen war, und sagte, während er sich wieder zu Hilde wandte: »Die Treue seines Löwen also hatte den Herzog gerettet. Und so ging er bis vor das Schloß und hörte von der Halle her eine große Musik von Trommeln und Pfeifen, und er wußte nun wohl, daß es eine Hochzeit sei. Da nahm er einen Ring vom Finger, gab ihn dem alten Burckersrode – dem Kämmerling – und beschwor ihn, daß er den Ring zur Herzogin Mechthildis hineintrage. Und als diese des Ringes ansichtig wurde, hob sie sich von der Tafel und sagte: ›Das ist meines lieben Herrn Ring, und er ist wieder da und ist *nicht* tot, und ich will ihn sehen und wieder die Seine sein.‹ Und als sie so gesprochen, führte man den Fremden, von dem der Ring kam, in die Halle des Schlosses, und die Herzogin sank vor ihm nieder und rief: ›Ich danke Gott, daß er mein still Gebet erhöret hat.‹ Und sie lud ihn neben sich, und alle sahen nun, daß es der Herzog war, und jeder gedachte der alten Zeit; aber des falschen Bräutigams, um dessentwillen die Hochzeitstafel angerichtet worden, gedachte keiner mehr.«

Da jubelte Hilde, daß es so gut gekommen, und Melcher Harms freute sich ihres Frohsinns und schloß: »Und ein fromm und herrlich Regiment begann all umher und konnte nicht anders sein in seiner Nähe. Denn er war, wie Fürsten sein sollen: treu und tapfer und gnädig und gerecht. Und hatte den Glauben. Und als er siebzig alt war, da ließ er sein Gemahl rufen und sagte: ›Meines Lebens Leben ist nicht lange mehr, und ich befehle nun Leib und Seele Christo Jesu meinem lieben Herrn. Der wolle mein pflegen in Ewigkeit.‹ Und so starb er, und das Land ging in Trauer, und in Trauer ging Mechthilde, sein Gemahl. Aber der Löwe legte sich auf seines Herrn Grab und nahm nicht Speise noch Trank. Und so lag er und regte sich nicht, bis auch er gestorben war.«

»Und das ist da, wo noch heute der Löwe steht. Weißt du, Martin?« Und Hilde dankte dem Alten und sah nach dem Schloß hinüber, das eben jetzt im vollen Scheine der Nachmittagssonne dalag. Ein Habicht schwebte still und mit ausgebreitetem Flügelpaar darüber und schoß endlich in den finsteren Eichenwald nieder, der den alten Giebelbau drüben in seinen Armen hielt.

Und alle drei sahen's und hingen ihren Gedanken nach und hörten nichts als das nahe und ferne Herdengeläut und dann und wann das Echo, wenn ein Schuß in den Bergen fiel.

Am stillsten aber war der Alte geworden, und Hilde, die gern wissen wollte, was es sei, sagte: »Geh vorauf, Martin.«

»Ihr wollt wieder allein sein«, lachte dieser. »Aber wie du willst. Nur verplaudere dich nicht und bleib nicht zu lang. Um die sechste Stunde will der Vater wieder dasein. Du weißt, er hat es nicht gern, wenn wer fehlt. Und nun gar heut.«

Und damit lief er schräg über die Berglehne fort und auf die lange Buchenhecke zu, die zu des Heidereiters Hause herniederführte.

Beide sahen ihm eine Weile nach. Dann sagte Hilde: »Ihr habt etwas, Vater Harms. Und es ist was mit dem Martin. Ich weiß wohl, Ihr seht alles und habt nichts Gutes gesehen. Sagt mir, was es ist.«

Er schwieg und schien unschlüssig in sich abzuwägen. Endlich nahm er Hildens Hand und sagte: »Ja, du hast recht, es ist was mit dem Martin ... Er hat auf dem Heidenstein gelegen.«

»Oh, das hab ich auch.«

»Es ist ein Opferstein. Und sie sagen: wer darauf schläft, den opfern die finsteren Mächte.«

»Ja, wer darauf *schläft*!«

»Aber ich denke, Kind, ich hab es weggebetet.«

»Könnt Ihr das, Vater Harms?«

»Nicht immer. Aber oft. Das Gebet kann viel, und du wirst es noch erfahren. Aber erfahr es nicht zu früh, Hilde. Denn ich muß es dir noch einmal sagen, wir beten erst, wenn wir im Unglück sind. Und ich wünsche dir glückliche Tage. Ja, Kind, auch *irdisch* Glück ist süß.«

Über Hilden ergoß es sich blutrot, und es war ihr, als hab er in ihrem Herzen gelesen. »Ich muß mich nun eilen«, sagte sie, während sie sich rasch erhob und, ohne sich um die leergebliebene Kufe zu kümmern, über die Wiese hin bergab lief, immer in derselben Richtung, die Martin vor ihr genommen hatte.

Der alte Melcher aber war nur noch ernster und nachdenklicher geworden und redete halblaut und in abgerissenen Sätzen vor sich hin: »Ich werd es *nicht* wegbeten, und keiner wird es. Ihr Blut ist ihr Los, und den Jungen reißt sie mit hinein. Es geschieht, was muß, und die Wunder, die wir sehen, sind keine Wunder ... Ewig und unwandelbar ist das Gesetz.«

Neuntes Kapitel

Des Heidereiters Geburtstagabend

Es war eine Stunde später, und Martin und Hilde sahen von der Vorlaube her, unter der sie Platz genommen hatten, immer den Weg hinauf, auf dem der Vater zurückkommen mußte. Dabei traf ihr Blick, sie mochten wollen oder nicht, auch auf den halb in einer Brombeerhecke versteckten Backofen, vor dem Grissel emsig beschäftigt war und den eisernen Vorsetzer abwechselnd auf- und zuschob. Jetzt aber schien sie zufrieden mit dem Befund und zog auf einer breiten Holzschippe die Bleche heraus, auf denen sie die Geburtstagskuchen für den Abend gebacken hatte, einen Streusel- und einen Kronsbeerkuchen, welchen letzteren der Heidereiter allem anderen vorzog. Aber der Rand mußte braun sein und am liebsten halb verbrannt. Eine Luftwelle trug den brenzlig-würzigen Duft herüber, und Martin sagte: »Freust du dich auf den Abend?«

»O gewiß! So sehr ich mich freuen kann.«

»So sehr du dich freuen kannst! Was heißt das? Du wirst dich doch freuen können. Jeder Mensch kann sich freuen.«

»Ja«, wiederholte Hilde, »jeder Mensch kann sich freuen, und ich auch. Und wenn ich sage, so sehr ich mich freuen kann, so mein ich an *unserem* Tisch und in *unserem* Haus.«

Als Hilde so gesprochen hatte, nahm Martin ihre Hand und seufzte: »Ja, das ist es. Und daß ich's dir nur gesteh, ich hatte dich auch recht gut verstanden. Ich wollt es nur deutlicher hören. Ach, was ist das für ein Leben! Ich möchte vergehen. Er meint es ja gut mit uns, mit mir vielleicht und mit dir gewiß ... Ja, ja, Hilde, das darfst du nicht bestreiten: er zieht dich vor. Aber glaube nur ja nicht, daß es *das* ist. Nein, nein, er *soll* dich vorziehen; ich bin nicht böse darüber und gönne dir alles. Alles und dann immer noch was dazu. Nein, Hilde, das ist es nicht. Sie *sollen* dich lieben, jeder, und, versteht sich, am meisten ich ... Ach, ich glaub, ich sterbe, so lieb hab ich dich.«

Und dabei glitt er nieder und legte schluchzend den Kopf auf ihre Knie.

Das aber gab ihr einen Schreck und eine Herzensangst, und sie bat und beschwor ihn, abzulassen und wieder aufzustehen. »Ich hätte den Tod, wenn's die Grissel säh. Ach, ich kenne sie; sie war anders sonst; aber jetzt hat sie nur spitze Reden für mich und ist hämisch und neidisch, weil ihr so gut gegen mich seid und mir alles zu Willen tut: der Vater und der alte Sörgel und der alte Melcher Harms oben. Ich bitte dich, Martin, steh auf ... Sieh, sieh nur, jetzt hat sie's gesehen!«

»Laß sie. Mir gilt es gleich. Sie *soll* es sehen. *Jeder* soll es sehen. Und er auch.«

»Um Gottes willen, nein, er nicht! Ich weiß nicht, Martin, was es ist, aber er darf es nicht sehen. Ich les es ihm von der Stirn, er will es nicht. Er will, daß wir Geschwister sind, das mußt du doch auch wissen, und Bruder und Schwester ist sein drittes Wort. Und was er sonst noch will, daß weiß ich nicht. Nur *das* weiß ich, daß er mich immer so ansieht, als ob ich was anderes wär und was Apartes und alles nicht gut genug für mich. Auch du nicht. Und letzten Erntekranz, als er uns tanzen sah, da hört ich auch so was. Und ist doch alles Torheit und Unverstand und schafft mir bloß Neid und Mißgunst. Und bedrückt mich bloß. Ja, das ist es. Ach, Martin, ich bin ihm gut, weil er gut gegen mich ist; aber ich weiß nicht, ich fürchte mich vor ihm.«

»Und ich auch, Hilde. Ja, ja, das ist es. Aber ich *will* mich nicht länger fürchten und schäme mich meiner Furcht. Denn vor seinem Vater soll man sich nicht fürchten.«

»Du sollst deinen Vater und deine Mutter ehren!«

»Ehren! wohl. Aber da liegt eben der Unterschied. Ehren soll man sie und Respekt haben. Und wenn du das zusammentust, so hast du die Ehrfurcht. Und die Ehrfurcht, die ist gut. Aber *bloß* Furcht, das ist falsch und schlecht und feig. Und ich will es nicht länger!«

»Ich glaube wohl, daß du recht hast. Aber übereile nichts. Und jedenfalls nicht heute. Du weißt ...«

In diesem Augenblicke hörten sie das Anschlagen eines Hundes vom Dorfe her, und gleich darauf wurde der Jagdwagen zwischen den Zweigen des Weges sichtbar. Es war also höchste Zeit, abzubrechen, und beide huschten um so rascher und ängstlicher ins Haus, als sie sich nach dem eben geführten Gespräch unfähig fühlten, eine rechte Freude bei des Vaters Ankunft zu zeigen. Und so fand sich denn nur Joost ein und nahm die Leinen aus des Heidereiters Hand, während Grissel, die gerade Zucker und Zimmet über die Kuchen streute, von ihrem Backofen her aufsah und grüßte. Freilich nur mit einem flüchtigen und vertraulichen Kopfnicken, wie Dienstleute zu tun pflegen, die sich daran gewöhnt haben, auch ihren Gruß innerhalb gewisser Grenzen zu halten.

Und nun kam der Abend, und um die siebente Stunde saß alles um den runden Tisch. Auf einem der Ständer aber standen die Kuchen und der Ziderwein, auf den hin die Grissel eine Reputation hatte, und alles war festlich und gemütlich, oder doch so gemütlich, wie's in des Heidereiters Haus und unter der Kontrolle seiner buschigen Augenbrauen überhaupt sein konnte. Der Ofen, in dem ein Reisigfeuer brannte, gab eine gelinde Wärme, während doch gleichzeitig ein Luftzug durch die Fenster kam und die Sterne mitsamt dem erleuchteten Schloß von drüben her hereinsahen. Alles war Frieden; die Lichter im Zimmer flackerten nur leise hin und her, und kleine Rauchsäulen stiegen auf und schlängelten sich an der Decke hin.

Der Heidereiter war ersichtlich in bester Laune von Ilseburg zurückgekehrt und plauderte mit vielem Behagen von dem kleinen buckeligen Gerichtsschreiber, dessen Buckel nur noch von seiner Wichtigkeit übertroffen werde. Dazu bracht er auch eine Neuigkeit mit, und zwar die: daß die Preußen bald wieder einen Krieg haben würden; denn ohne Krieg könnten sie nicht sein. Und zuletzt kam er, wie gewöhnlich, auf die gnädige Gräfin, von der ein Gerede gehe, daß sie katholisch werden wolle. Darüber war nun die Grissel natürlich außer sich; aber ehe sie noch ein passend-gemäßigtes Wort der Empörung finden konnte – denn der Heidereiter hielt auf Respekt gegen die Herrschaft –, fuhr dieser in eigenem Unmut fort: »Und wer ist schuld daran? Wer anders als dieser alte Kamm-Melcher, der jeden Abend oben steckt und unserem alten Sörgel über den Kopf weg seinen Mischmasch von Weisheit und Unsinn zum besten gibt. Versteht sich, heimlich. Aber was ist heimlich bei vornehmen Leuten? Und was ist heimlich überhaupt? ›Ist auch noch so fein gesponnen, muß doch alles an die Sonnen.‹ Und ist auch ein Trost und ein Glück, daß es so ist. Denn alles Unrecht muß heraus. Und was ein rechtes Unrecht ist, das *will* auch heraus und kann die Verborgenheit nicht aushalten. Und eines Tages tritt es selber vor und sagt: hier bin ich. Ja, Kinder, so hab ich's immer gefunden, auch bei den Soldaten schon, und ich entsinne mich … Aber ich sehe wohl, ich hab es schon erzählt und bin noch nicht alt genug, um immer bloß fürs Alte zu sein und am wenigsten für alte Geschichten. Aber für *ein* Altes bin ich, und am End ihr auch – wenigstens unsere Grissel hier, denn die hat eine feine Zung und eine spitze dazu, nicht wahr? Aber das tut nichts, wenn's *hier* nur stimmt und der Katechismus in Ordnung ist und der Wandel und die gute Sitt – aber was ich sagen wollte, für *ein* Altes bin ich. Und hier ist der Schlüssel, Martin, und nun geh und hol eine von den weißgesiegelten, ohne Zettel. Bah, Zettel! Zettel hin, Zettel her! Der Zettel macht's nicht, aber was *drin* ist, das macht's. Und dafür steh ich. Also von den weißgesiegelten, Martin. Oder bringe lieber gleich zwei. Denn es wird einem wohler und wärmer ums

Herz, wenn man nicht gleich mit der Angst anfängt: ›Ei, du mein Mäusle, was wird? 's is halt schon wieder vorbei.‹ Nein, nein, was es auch sei, man muß immer was Sicheres vor sich haben, und der freie, ruhige Blick in die Zukunft, das ist überhaupt das Beste vom Leben. Und nun geh, Martin. Aber sieh dich vor bei der drittletzten Stufe, die liegt nicht fest, und zerschlage mir nichts, denn ich bin abergläubisch. Und an meinem Geburtstage soll mir kein Glas in Scherben gehen. Und auch keine Flasche.«

Martin ging und kam wieder und stellte die Flaschen auf den Tisch. Und mit einem langen Pfropfenzieher, an dessen Griff eine Bürste war, zog jetzt der Heidereiter den Kork aus der ersten Flasche, putzte die Lackkrümelchen sorgfältig weg und goß unter Schmunzeln und doch zugleich mit einer gewissen Feierlichkeit in alle vier Gläser ein. Und nun nahm er seins, hielt es gegen das Licht und freute sich, daß es wie kleine Geister darin auf- und niederstieg. »Auf ein glückliches Jahr!« Alle Gläser klangen zusammen, und alle tranken aus. Nur Hilde nicht.

Aber darin versah sie's, und der Alte sagte: »Wer nicht austrinkt, meint es nicht gut. Und du hast bloß genippt, Hilde. Wer mein Liebling sein will, muß austrinken; werde nur nicht rot, der Martin gönnt dir's und die Grissel auch. Nicht wahr, Grissel …? Und wißt ihr, wo der Wein herstammt? Der stammt drüben vom Schloß und ist noch vom seligen Grafen, von meinem gnädigen alten Herrn, der nun auch drüben unterm Stein liegt, lange vor der Zeit. Ja, daß ich's sagen muß, lange vor der Zeit. Aber das mit dem *jungen*, das war ihm zuviel.«

Er wollte behaglich weiterplaudern, aber er unterbrach sich plötzlich, weil ihm einfiel, daß er sich selber vorgesetzt hatte, von dem Tode des jungen Grafen und überhaupt von dem jungen Grafen in Hildes Gegenwart nie sprechen zu wollen. Als er diese jedoch völlig unbefangen bleiben und nur neugierig Augen machen sah, fuhr er auch seinerseits in wiedergewonnener Unbefangenheit fort: »Ja, das mit dem *jungen*, das war ihm zuviel. Und als ihn die Halberstädter anbrachten, immer mit Trommeln und Pfeifen – denn anderes hatten sie nicht, weil die richtige Musik mit zu Felde war –, und es immer so wirbelte durch ganz Emmerode hin, an dem Kirchhof und dem Stachelginster vorbei, bis an die Kirche, die schwarz ausgeschlagen war, und brannten alle Lichter, aber keine Gesangbuchsnummer an der Tafel und bloß die Orgel spielte – da war es dem Alten doch zuviel, und er hat's nicht lange mehr gemacht. Aber das sag ich euch, das war ein Mann, der hätte das nicht geduldet mit dem Kamm-Melcher und mit dem Katholischtun, und hatte für jeden ein Herz und eine Hand, und als mein Ehrentag war mit deiner Mutter, Martin, die nun auch drüben schläft und vor Gott bestehen wird, weil sie Gott im Herzen hatte, da war er noch frisch und gut bei Weg, und ich dachte: der wird achtzig. Und eben den Tag war es, da kam auch ein Flaschenkorb mit Wein herüber und ein Zettel dran, auf dem war zu lesen: ›Für den Hochzeiter und Heidereiter‹, und darunter stand: ›Auf gute Nachbarschaft.‹ Ja, ›Auf gute Nachbarschaft‹ hatte der gute gnädige Herr geschrieben, und alles eigene Handschrift. Und von dem Wein ist *dieser*. Damals, an demselben Tage noch, hab ich den weißen Lack von der ersten Flasche geklopft und heute von dieser zweiten, und ich denke, Kinder, es soll nicht die letzte gewesen sein.«

Und Baltzer Bocholt, der, als er so sprach, ohne Wissen und Wollen aufgestanden war, setzte sich jetzt wieder und strich sich ein Mal über das andere den vollen Bart; denn es gefiel ihm wohl, was er gesagt hatte, und in der Eitelkeit seines Herzens und in dem frohen Blick in die Zukunft, den er sich gönnte, vergaß er zum ersten Male, trotzdem er doch von ihr gesprochen und ihrer in Ehren gedacht hatte, nach dem Sofa hinzusehen, über dessen hoher Lehne das nur handgroße Pastellbild seiner Seligen hing. Es rührte von einem Halberstädter Zeichenlehrer her, der in den Ferien alles abmalte, die Gegend und die Menschen, am liebsten aber die Brautpaare. Und es war damals kurz vor der Hochzeit gewesen.

Ja, zum ersten Male heute hatte der Heidereiter *nicht* nach dem Bilde hinübergesehen; aber er sprach noch vielerlei von Freud und Leid und von Gutem und Schlimmem und sprach zuletzt auch von der großen Kränkung seines Lebens, davon, daß ihm die Gräfin, als es doch Zeit gewesen, den »Titul« *nicht* gegeben habe. Denn ein Heidereiter sei doch eigentlich nur was Kleines und Geringes und eigentlich bloß dazu da, Bettel- und Weibsvolk, das sich Reisig sammelt, ins Prison oder Spinnhaus zu bringen. Und das sei nichts für einen alten Soldaten und einen »Richtigen aus dem Wald«, der seine Büchse hab und immer ins Blatt träfe, Mensch oder Tier. Aber das sei's eben, das hab ihn um die Reputation gebracht, daß er fester und flinker gewesen als der Maus-Bugisch, und das hab ihm die Gräfin nicht verziehen.

Und er verbitterte sich wieder darüber und schloß endlich: »Aber das weiß ich, Kinder, lebte *der* noch, der mir diesen Wein ins Haus geschickt hat und mir immer ein gnädiger Herr war, da wär es alles anders und gäbe keinen Heidereiter mehr, und ich hätte den Titul. Und weiß es Gott, ich wollt ihm Ehre machen, und sollte keines Menschen Schad oder Schande sein.«

Es hatte Hilden einen Stich gegeben, als des Maus-Bugisch und jenes unheimlichen Tages wieder Erwähnung geschehen war; Martin aber fühlte wie der Vater und vergaß für den Augenblick wenigstens aller eigenen Kränkung und nickte und trank ihm zu.

Und so vergingen Stunden, und als endlich der Heidereiter, des Sprechens müde, sich in den Stuhl zurückgelehnt und seinen Meerschaum angezündet hatte, rief er Hilden zu, daß sie was singen solle, was recht Hübsches und Trauriges, so was, wie sie letzten Geburtstag mit dem Martin zusammen gesungen habe: das »vom Junker von Falkenstein«. Oder auch was anderes. Und so sangen sie denn das Lied vom »eifersüchtigen Knaben«, und Baltzer hörte so fromm und andächtig zu, als ob es aus einem Gesangbuch gewesen wär, und blies dabei seine Wolken in die Luft. Und auch Grissel schien eine Weile lang ganz Ohr; als aber die Strophe kam:

Ich kann und mag nicht sitzen,
Mag auch nicht lustig sein,
Mein Herz ist mir betrübet,
Feinslieb von wegen dein …,

da stand sie vom Tisch auf und ging in die Küche hinaus, erst, um wieder Ordnung zu machen, und danach auch, um ihren Staat vom Boden zu holen. Denn der nächste Tag war ein Sonntag, und sie versäumte nicht gern die Kirche; so wollt es der Heidereiter, und so war sie's gewöhnt von Kindheit an.

In der Stube mittlerweile reihte sich unablässig Vers an Vers, immer monotoner und immer trauriger, weil sich die Kinder zugeblinkt hatten, es ihm recht traurig zu machen; und als gegen das Ende hin die Stelle kam:

Was zog er ihr vom Finger?
Ein rotes Goldringlein …,

da sahen sie zu nicht geringer Freude, daß des Alten Kopf auf seiner linken Schulter ruhte. Wirklich, er war eingeschlafen, müde von der Fahrt und dem Wein, am müdesten aber von der Einförmigkeit ihres Gesanges; und weil ihnen nichts ferner lag, als ihn wecken zu wollen, so schlichen sie sich fort und drückten so geräuschlos wie möglich die Tür ins Schloß. Auf der Diele draußen aber, um völlig sicherzugehen, taten sie noch ihre Schuhe von sich und tappten sich bis an die Treppe, wo sie, bevor sie hinaufstiegen, einen Augenblick stehenblieben und horchten und kicherten.

Oben aber, gerade der Stelle gegenüber, wo die Treppe mündete, war ein Lattenverschlag, und hier saß Grissel all die Zeit über und nahm aus einer großen Truhe, deren Deckel hoch aufgeklappt war, ihren Sonntagsstaat heraus: Latz und Kopftuch und Rock und Mieder. Und sie schien ganz in ihren Staat vertieft. Als sie jedoch das Kichern unten hörte, blies sie das Licht aus und duckte sich bis an die Erde. Denn es war Mondschein, und der Schatten, der strichweise unter dem Dache hinlief, verdeckte sie nur halb.

Und nun waren Martin und Hilde die Treppe hinauf und standen unter einer Luke, durch die von oben her ein breiter Lichtstreifen einfiel. Und hier war's, wo sie sich trennen und in ihre Giebelkammern nach rechts und links hin abbiegen mußten. Und sie trennten sich auch wirklich. In demselben Augenblick aber, wo Martin an seiner Tür hielt und eben schon die Klinke faßte, wandt er sich und rief mit gedämpfter Stimme zweimal über die Diele hin: »Gute Nacht!« Und auch Hilde hatte sich gewandt, als ob sie's nicht anders erwartet habe, und wie vom selben Geiste getrieben, liefen beide wieder auf die Stelle zu, wo sie vorher gestanden, und umklammerten sich und küßten sich. Eine kurze, selige Minute. Dann aber schreckte sie Geräusch von Flur oder Treppe her auseinander, und nur noch einmal klang es leise: »Gute Nacht!«

Und »Gute Nacht!« klang es ebenso zurück.

Zehntes Kapitel

Sonntag früh

Der Heidereiter war am anderen Morgen zeitig auf. Er liebte sonntags früh eine ruhige Betrachtung und einen inspizierenden Gartenspaziergang, an dem er um so lieber festhielt, als ihm die Woche die Gelegenheit dazu nicht gönnte. Das wußte jeder im Haus, und natürlich auch Hilde, die, so wenig sie sich persönlich aus Gartendienst und Blumen machte, doch immer emsig beflissen war, alles fortzuschaffen, was des gestrengen Spaziergängers gute Laune hätte stören können.

Und so war es auch heut, und der Alte freute sich der

überall herrschenden Ordnung. Die Wege waren geharkt, das Unkraut gejätet, und innerhalb der noch grünen Buchsbaumrabatten blühten ihm Astern und andere Herbstblumen entgegen. Auf dem Levkojen- und Resedabeet erkannt er wohl, daß es geplündert worden war, aber er wußte ja, weshalb, und lächelte nur und war der Unordnung eher froh als nicht. Und zuletzt kam er auch an ein kleines Rondel, drin neben den rotstengligen Balsaminen allerhand Rittersporn stand, und er pflückte davon und wollte sich eine der blauen Blüten ins Knopfloch stecken. Aber er besann sich eines anderen wieder und warf sie fort.

Indem war Grissel aus dem Hof in den Garten gekommen und hatte dem Heidereiter kaum erst ihren guten Tag geboten, als dieser auch schon bemerkte, daß das aus dem Garten ins Feld führende Gatter bloß angelehnt und nicht geschlossen war. Das verdroß ihn oder war ihm wenigstens nicht recht, und er warf im Gespräch hin: ein Heidereiter habe viel Feindschaft und dürfe das Gesindel nicht eigens noch einladen, ihm die Blumenbeete zu zertreten oder die Äpfel von den Bäumen zu stehlen. Und so ging es noch eine Weile fort. »Aber das ist der Joost«, schloß er endlich. »Der kann's nicht bequem genug haben und will sich partout die fünfzig Schritte sparen. Er soll's aber nicht. Er soll den großen Weg nehmen oder die Hecke.«

»'s ist nicht der Joost«, sagte Grissel. »Joost ist ein Gewohnheitstier und geht immer die große Straße.«

»Nun?«

»'s ist unsere Hilde; die geht hier, wenn sie nach den Sieben-Morgen will.«

»Und was hat sie da?«

»Nun, da sind ja doch unsere drei Küh oben; und wenn's ihr paßt, da setzt sie die Butt auf den Kopf und den Arm in die Hüft, und heidi geht's in die Höh. Und sie weiß wohl, es kleidet ihr, und das Mannsvolk sieht ihr nach … Oh, sie kann schon, wenn sie will! Es muß sich ihr bloß verlohnen. Und das muß wahr sein, wenn sie so geht, so prall und drall, ist es gar nicht die Hilde mehr.«

All das hörte Baltzer nicht gern, und er sah sie scharf an. Aber sie kannte seine Schwächen, und *weil* sie sie kannte, hatte sie keine Furcht vor ihm. Und nun gar heute; *wenn* sie sich auch gefürchtet hätte, es brannt ihr zu vieles auf der Seele, was herunter mußte. »Ja, Heidereiter, Ihr habt es ja selber so gewollt, als Ihr damals ein Frölen aus ihr machen wolltet und als sie mit eins zu gut für die Grissel war, obwohlen ich ehrlicher Leute Kind bin und einen richtigen Namen habe, was nicht jeder von sich sagen kann. Ja, ja, Heidereiter, damals, als sie mit eins die Kammer allein haben mußt und ich in die Küche kam oder doch dicht daneben. Und das alles mitten im Sommer und immer die warme Wand und die Sonne von vier Uhr morgens. Und sowie die Sonne da war, waren auch die Fliegen da und summten und brummten, und waren auch Stechfliegen dabei, weil es das Hoffenster ist, kleine, rote, die giftig sind und wo einem die Hand abgenommen werden kann. Und ich habe keine Nacht geschlafen.«

»Aber bist doch nicht abgefallen«, sagte der Heidereiter in einem Tone, darin sich gute und schlechte Laune die Waage hielten, und setzte dann, während er, ohne recht zu wissen, was er tat, ein paar Samenkapseln abbrach und die Körner in seine Hand schüttete, hinzu: »Und nun sage mir, was soll das? Was meinst du?«

»Was ich meine? Daß Ihr selber schuld seid, Heidereiter, schuld mit Eurer neuen Einrichtung und mit allem … Und du lieber Himmel, die Milchwirtschaft! Ja, da hat sich was mit Milchwirtschaft, und ich möchte wohl sehen, wie's damit stünd ohne die Rentschen oder ohne die Christel. Aber versteht sich, immer so getan, als ob es was wär, und immer geklappert und immer unterwegs und immer auf die Sieben-Morgen. Und da sitzen sie.«

»Wer?« fragte Baltzer, in dem der Ärger allmählich das Übergewicht gewann.

»Wer? Nu, mein Gott, wer! Der alte Melcher sitzt da, mit seinem Kamm unterm Hut und mit seinem Hochmut unterm Hut. Und ist auch gut, daß er ihn festhält, er könnt ihm sonst wegfliegen. Und ist eine alte Geschichte, daß die Konventikelschen alle den großen Nagel haben, das hat mir schon mein Vater selig ins Gewissen geredt, und sein letztes Wort war immer: ›Und der Melcher Harms, das ist der Schlimmste.‹ Ja, das ist nun freilich schon eine kleine Ewigkeit, aber Kamm-Melcher hieß er auch schon, und bloß den Saal hatten sie noch nicht und noch keine Freitagabend-Andacht, und der alte Graf war noch gut bei Weg und dachte noch an kein Sterben. Und war das Jahr vorher, eh der preußische Krieg anfing. Aber du mein Gott, wenn mein Vater selig ihn jetzt so säh, immer mit Strumpf und Strickzeug, und wie er so klein tut, als könnt er kein Wasser trüben, und dann abends aufs Schloß in die kleine Kapellenstube mit dem fliegenden Engel – oh, du mein Gott und Vater! und wenn er dann gar noch säh, wie sie jeden geschlagenen Freitag in den Saal geht und sitzt da mit auf der Bank und weint und schluchzt, als ob sie so wär wie das arme Volk oder der alte Nagelschmied Eschwege, der immer vorsingt – und er soll ihr auch das Abendmahl gegeben haben; aber das glaub ich nicht, da wäre doch ein Blitz vom Himmel gekommen –, oh, du mein Gott und Vater, wenn er das noch gesehen und erlebt hätt, da würd er noch ganz anders gesprochen haben! Und das soll auch nicht sein, Baltzer. Aber Sörgel ist zu gut und denkt bloß immer: es schadet nichts. Aber es schadet *doch.* Und von Ordnung ist keine Rede mehr, und weiß kein Mensch mehr, ob er ein Hirt ist oder ein Papst. Und was Katholisches hat er, das sieht jeder, und war auch mit nach 'm Eichsfeld. Ihr müßt es ja selber wissen, Baltzer. Und was habt Ihr zuletzt davon? Was? Daß sie mit katholisch wird!«

»Hilde?«

»Ja, Hilde. Wer anders als Hilde. Den ganzen Tag ist das Püppchen oben, wenn nicht gerad Regen ist oder Wind, und da priestert er ihr was vor und setzt ihr Raupen in 'n Kopf und erzählt ihr vornehme Geschichten von Schloß und Rittersleut', und wenn sie dann wiederkommt, sieht sie sich um, als ob sie selber so was wär. Und Martin auch immer mit dabei, wenn er aus 'm Wald kommt, und muß ja dran vorüber, versteht sich, weil es der nächste Weg ist – und ist eigentlich die Meile Siebenviertel –, und da sitzen sie denn und haben ihr Konvivchen oder ihr Konventikelchen, oder wie Ihr's nennen wollt. Ja, Baltzer, der Martin auch. Aber mit dem hat's keine Not nicht, der ist seines Vaters Sohn, und den wird der Alte nicht katholisch kriegen. Und hört auch nicht recht zu, weil er immer bloß Hilden angafft, und ist immer Brüderchen und Schwesterchen. Ja, ja, Baltzer, seht mich nur an! Und ich weiß noch den Tag, wo die Muthe gestorben und begraben war und Hilde mit Euch herüberkam und Martin und ich und Joost auf der Diele standen, dicht an der Treppe, wie Ihr das sagtet: ›Ihr sollt euch liebhaben. Wollt ihr?‹ Und seht, Heidereiter, das ist auf guten Boden gefallen. Und immer wie Bruder und Schwester. Haha!«

Baltzer, während die Grissel so sprach, hatte sich auf eine der kleinen Erdstufen gesetzt, die zu dem Gatter hinaufführten, und riß einen breiten Grashalm aus, wand ihn um seinen Finger und warf ihn wieder fort. Er wiederholte das Spiel zwei-, dreimal und sagte nach einer Weile: »Höre, Grissel, du bist eine hämische Person. Und ich habe dich für besser gehalten, als du bist. Du hast einen Haß gegen den alten Melcher, weil er, deinen Vater selig in Ehren, klüger ist als drei Kantoren oder Schulmeister zusammengenommen … Und was redest du da von den Kindern? Laß die Hilde! Wenn ihr der Melcher gefällt, so mag er ihr gefallen. Und ob er das Abendmahl gibt oder nicht, ist all eins. Und wenn die Gräfin es gehen läßt, so müssen wir's auch gehen lassen. Katholisch wird die Hilde *nicht* und keiner nicht, und was ich da gestern bei der Flasche gesagt habe, dessen schäm ich mich heut, und war nichts, als was die Leute sagen, und was *die* sagen, ist immer Dummheit oder Lüge. Denn der alte Melcher – ob ich ihn leiden kann oder nicht, das ist eine Sach für sich – ist von den strengen und den festen Lutherschen und war letzte Woche nach Eisleben und nicht nach 'm Eichsfeld. Und du, Grissel, wenn du deinem Vater im Grabe keine Schande machen willst, so schreibe dir das achte Gebot hinter die Ohren: Du sollst nicht falsch Zeugnis reden wider deinen Nächsten!«

»Oh, das kenn ich und halt es auch!«

»Und das mit dem Martin«, fuhr der Heidereiter fort, ohne der Unterbrechung zu achten, »das sagst du bloß, weil du mich ärgern willst und weil du meinst, daß ich mit der Hilde höher hinauswill. Ja, Grissel, das will ich! Und darin hast du recht. Und ist keiner hier herum und bis Ilseburg hin und das Amt mit eingerechnet, dem ich sie gönne. Und auch dem Martin nicht. Er ist ein Jung und weiter nichts. Und daß er sie liebhat, ist mir recht. Ich habe sie auch lieb, und du hast sie wenigstens liebgehabt. Aber du bist eine herrschsüchtige Person, und von dem Tag an ...«, er stockte, weil ihm plötzlich wieder das Bild von der Heide her vor die Seele trat und ihn verwirrte, »... ja, von dem Tag an, wo wir den Diskurs über die Hilde hatten, hast du sie gequält und beredt und hast sie's entgelten lassen, daß ich damals gesagt habe: ›Wir wollen es ändern, und so soll es sein.‹ Aber du bringst sie bei mir nicht heraus. Und das mit dem Martin ist Kinderei.«

»Bruder und Schwester!« lachte sein unerbittlicher Gegenpart und zeigte die großen weißen Zähne.

Von drüben her aber gingen jetzt die Glocken, und das Gespräch brach ab, weil jeder sich noch für den Kirchgang zurechtzumachen hatte.

Grissel half dem Alten in seinen Festrock und gab ihm Gesangbuch und gebügelten Hut. Und nun ging er vorauf, über Brück und Weg, dann an der Kirchhofsmauer entlang, und vermied es, sich nach den Kindern umzusehen, die zwischen dem Stachelginster in einiger Entfernung folgten. Er wollte sich in seine Ruhe und Zuversicht wieder hineinleben.

Und mit diesem Entschluß trat er in die Kirche.

Sörgel hatte seinen guten Tag heut und sprach eindringlich und aus der Fülle des Erlebten. Und des Heidereiters große Augen waren auch wirklich unablässig nach der Kanzel hin gerichtet, und wer ihn so beobachtete, hätte glauben müssen, er verschlänge jedes Wort.

Aber es war eine Täuschung; seine Seele war wie geschlossen, und er hörte nichts von dem, was der Alte sprach.

Elftes Kapitel

Der Heidereiter horcht

In der Kirche war es ihm nicht geglückt. Aber Baltzer Bocholt war eine willensstarke Natur, und weil er's bezwingen wollte, so bezwang er's auch, und um so rascher, als er trotz allem Aufmerken nichts sah, was dem von Grissel hingeworfenen Verdachte Nahrung gegeben hätte. Martin und Hilde sprachen unbefangen miteinander, und wenn er sie zufällig im Hof oder Garten traf oder bei Tisch einen eindringenden Blick auf sie richtete, so sah er wohl jenen Anflug von Scheu, den zu sehen er gewohnt war, aber kein Verlegenwerden und kein Erröten. Grissel hatte mal wieder überscharf gesehen und mehr gesagt, als sie verantworten konnte. Das war alles.

So verging die halbe Woche bis Freitag, wo regelmäßig oben auf dem Schloß die Beamten und Verwalter ihren Rapport zu machen hatten. Das war schon zu des Grafen Zeiten so gewesen, und die Gräfin hatte nichts daran geändert. Immer um zehn begann es, und mit dem Glockenschlage zwölf wurde geschlossen. Was bis dahin nicht erledigt war, blieb für das nächste Mal. So war denn jeder im Hause daran gewöhnt, den Heidereiter nicht vor ein Uhr zurückkommen zu sehen, oft aber später, weil unmittelbar nach dem Rapport noch ein Imbiß genommen und ein vertraulicher Diskurs geführt wurde, der oft besser war als Hin- und Herschreiben und Botenläuferei.

Martin und Hilde hatten auch diesmal wieder dem Freitage mit Sehnsucht entgegengesehen, weil er sie, wenigstens solange der Vortrag oben dauerte, vor dem Erscheinen des Vaters sicherstellte. Jeden anderen Tag entbehrten sie dieses Gefühls der Sicherheit vor ihm, mußten es entbehren, denn wenn er auch weit in den Wald hinaus war, er konnte sich anders besonnen haben, war plötzlich wieder da und stand zwischen ihnen, als wär er aus der Erde gewachsen.

An all das war aber heute nicht zu denken, und da Grissel außerdem noch im Küchengarten zu tun hatte, wo sie gemeinschaftlich mit Joost die Saatbohnen abnahm, so saßen die Geschwister auf ihrem Lieblingsplatz in Front des Hauses und blickten auf den Bach, der heute brausender und schäumender als gewöhnlich über die großen Steine hinschoß. Denn die letzten Tagen waren Regentage gewesen. Aber seit gestern war alles wieder hell und heiter, und ein paar gelbe Schmetterlinge, die der verspätete Sommertag aus ihrem Schlupfwinkel hervorgelockt hatte, haschten sich in der sonnigen Luft. Und um der Sonne willen standen auch im Hause selbst alle Türen und Fenster offen, und nur in des Heidereiters Stube, die gerade hinter ihnen, aber um ein paar Stufen höher lag, waren die Vorhänge bis auf einen handbreiten Streifen, durch den die Luft zog, heruntergelassen.

Nun schlug es drüben vom Schloß her, und Martin und Hilde zählten die Schläge. »Elf«, sagte Martin. »Eine Stunde noch, und es ist wieder vorbei; dann kann er jeden Augenblick wieder dasein. Und ein Glück noch, daß wir ihn kommen sehen. Er muß über die lichte Stelle weg, dicht neben der Kiesgrube, wo der alte Rennecke seine Geiß eingehürdet hat. Siehst du? Da. Und der blanke Beschlag an seinem Hut ist auch ein Glück und blitzt beinah wie der Wetterhahn oben.«

Und Hilde, die während dieser Worte die Hand an ihre Stirn gelegt hatte, blickte nun auch auf den Punkt hin, auf den Martin immer noch mit dem Finger wies, und beide gewahrten im Hinübersehen in der Tat nichts als den eingehürdeten Grasplatz und die Geiß, die hin und her sprang, und die Lichter und Schatten, die miteinander spielten.

Aber hätten sie fünf Minuten früher ihren Blick ebenso scharf auf die Lichtung drüben gerichtet, so würden sie den blanken Beschlag an ihres Vaters Hut, von dem Martin eben gesprochen, wohl haben blitzen sehen. Denn es war heute kein Vortrag gewesen, da die Gräfin krank war, und gerad als beide die Glockenschläge gezählt, hatte der Heidereiter schon das unten gelegene kleine Haus des Parkhüters passiert und ging im Gespräch mit dem ihm seit lange befreundeten Ilseburger Obersteiger auf die große Straße zu. Hier aber verabschiedeten sie sich, weil sich ihre Wege trennten.

Das Gespräch mit dem alten Freunde, der ihn unter anderem gefragt hatte: warum er so vor der Zeit versauern wolle; er solle sich was Junges ins Haus und in die Ehe nehmen, das mache selber wieder jung, hatte doch eines Eindrucks auf ihn nicht verfehlt, und er dachte noch halb ärgerlich und halb vergnüglich darüber nach, als er keine zehn Schritte vor der Brücke stehenblieb und durch den Werft hin, der hier mannshoch den Weg einfaßte, Martins und Hildens ansichtig wurde. Sie hatte den Kopf müd und glücklich an seine Schulter gelehnt und schien aller Welt vergessen.

Baltzer Bocholt war nicht der Mann des Aufhorchens und Belauschens, aber ebenso gewiß stand ihm vor der Seele, daß dies der Augenblick sei, der ihm Aufschluß geben müsse, ob Grissel recht gehabt oder nicht, und so ging er vorsichtig und immer sich duckend auf die große Straße zurück, um von dieser aus in einem weiten Bogen erst bis an den Garten und dann an die Rückseite seines Hauses zu kommen. Und nun hielt er an dem Gatter und stieg die paar Erdstufen hinunter, wo er letzten Sonntag das Gespräch mit Grissel gehabt hatte. Niemand, so schien es, sah ihn, und einen Augenblick später war er durch die Hoftür in Flur und Stube hineingehuscht und stand an dem herabgelassenen Vorhang, in dessen Schutz er jedes Wort hörte, das die beiden unten sprachen.

»Und ich sag es ihm«, sagte Martin. »Und wenn er nein sagt, was er eigentlich nicht darf, dann gehen wir in die weite Welt. Alle beid. Und du mußt nur Mut haben.«

Hilde schwieg.

»Und weißt du, wo wir dann hingehen?« fuhr Martin fort. »Ich weiß es. Dann gehen wir zu dem preußischen König. Der kann immer Menschen brauchen, weil er immer Krieg hat. Oder doch beinah. Aber wenn der Krieg aus ist, dann ist alles gut und hat jeder gute Tage, weil er streng ist, aber auch gerecht. Und er sieht alles und weiß alles, und wenn ein armer Mann kommt mit einem Brief in der Hand und ihn hochhält, den läßt er gleich rufen und vor sich kommen und fragt ihn nach allem; und wenn er merkt, daß ihm ein Unrecht geschehen, dann läßt er die Reichen und Vornehmen einsperren. Und wenn's auch ein Graf ist. Und jeden Armen macht er glücklich.«

Aber Hilde schüttelte den Kopf und sagte: »Nein, nein, Martin; es ist besser hier. Und ich will nicht, daß du Soldat wirst. Und von der Grissel weiß ich's ganz genau, sie wohnen all unterm Dach und frieren oder kommen um vor Hitze. Und sie hungern auch. Und wenn sie nicht gehorchen, so werden sie totgeschossen. Und mancher auch, weil er bloß eingeschlafen ist. O nein, Martin, das ist nichts für dich; das ist ein Jammer, und wir müssen warten und Geduld haben.«

»Ach, Hilde, sage nur nicht *das*! Ich will auch nicht zu den Preußen, wenn du's nun mal nicht willst; aber rede nicht von Warten und Geduld. Immer Geduld und wieder Geduld. Ich kann es nicht mehr hören. Und immer bloß so verstohlen sich sehen und nie sich haben in Ruh und ungestört; und so vielleicht Jahre noch. Ach, ich wüßte schon, wie du mir zu Ruhe helfen und das Herz wieder froh machen könntest! Und dann, Hilde, ja dann wollt ich auch Geduld haben und warten. Ein Wort nur! Ein einziges! Sag es … Versprich mir …«

»Ich kann's nicht!«

»Ach, du kannst schon, so du nur willst und mich liebhast! Es ist ja so gut, als wären wir allein oben. Und alles schläft, und ist keiner, der uns sieht oder hört. Und ich denke noch an letzten Sonnabend, als wir das Lied gesungen hatten und der Vater eingeschlafen war. Weißt du noch? Aber du hast es vergessen!«

»Wie du nur bist! Ich hab es *nicht* vergessen!«

Und er küßte sie leidenschaftlich und sagte: »Sieh, Hilde, so will ich dich küssen und drücken, so! Und du sollst jetzt nichts sagen, kein Wort, nicke nur leise mit dem Kopf ... Oh, nun ist alles gut! Und ich komm ...«

»Um Gottes willen, nein! Ich will alles, was du willst! Alles! Nur nicht unter diesem Dach! Es wäre mein Tod. Ich kann dir nicht sagen, wie sehr ich mich fürchte.«

»Wovor? Vor mir?

»Nein, vor *ihm*! Und er ist überall. Und daß ich dir's nur gesteh, es ist mir oft, als ob die Wände Ohren hätten und als wär ein Auge beständig um mich und über mir, das alles sieht.«

»Und das ist auch! Aber vor *dem* Auge fürcht ich mich nicht.«

»Und ich auch nicht, Martin, auch wenn es ernst und streng sieht. Aber das Auge, das ich seh, das ist nicht Gottes Auge, das ist *seines* und ist finster und glüht darin, auch wenn es freundlich sieht. Fühle nur, wie mir das Herz schlägt und wie ich zittere ...«

»Weil du mir's versprochen hast ...«

»Was?«

»Daß wir uns sehen ... Nicht unter diesem Dach, ängstige dich nicht, aber unter Gottes freiem Himmel, oben auf Ellernklipp.«

Sie schmiegte sich an ihn, und ihre Seele wuchs in der Vorstellung eines solchen Sichtreffens auf einsamer Klippe. Martin aber fuhr fort: »Oder lieber auf Kunerts-Kamp, da, wo deiner Mutter Haus stand ... Und um sechs ist die Sonne weg, und da komm ich und finde dich! Und vorher pflückst du Beeren ... Es gibt ihrer noch, und die rotesten ...«

Aber er brach ab, weil er vom Flur her Grissels Stimme zu hören glaubte.

Zwölftes Kapitel

Auf Ellernklipp

Martin und Hilde, als sie gestört wurden, hatten ihren Weg über die Brücke genommen, wie wenn sie zu Sörgel hinüberwollten. An der Kirchhofsmauer aber kehrten sie wieder um und gingen auf die Steine zu, die durch den Bach gelegt waren und in ihrer Verlängerung gerad auf den Hof zuführten. Hier trafen sie Grissel, die ganz Geschäftigkeit war, und hörten, wie sie zu Joost sagte: »Mach flink. Et is all an twelven. Un he kann mit eens wedder doa sinn.«

»I, he is joa all«, antwortete Joost. »All lang. He käm joa so glieks nah elven, un ick soah em, as he de Grastrepp runnerkoam. Un denn dicht an 't Huus vorbi. Hest em denn nich siehn ...? Nei, nei du künnst joa nich. Du wihrst joa noch mang de Stoakens.«

Hilden überlief es wie der Tod, und es gab ihr nur einen halben Trost, als Grissel unter Lachen antwortete: »Hür, Joost, du bist joa binoah as uns' oll Jätefru is, de seiht ook allens vorut, un man künn sich orntlich grulen vor di. Na, en beten will ick noch töwen. Ick segg di, he kümmt nich vor twelven. Un an mi kümmt keen een vorbi, dat ick't nich weeten deih. Awers kuck eens in. Wenn he doa is, möt he joa doch in siene Stuw sinn.«

Joost ging hinein und kam verblüfft wieder »Nei, he is nich in. Un ook nich in Küch un Keller... Awers mi wihr doch so.«

»Joa, mi wihr so«, wiederholte Grissel. »Di is ümmer so. Du hest ümmer een Poar Oogen to veel in 'n Kopp. Un denn oak moal wedder een Poar to wen'g.«

Unter diesem Gespräch, das sich noch weiter fortsetzte, waren die Geschwister vom Hof her in den Flur getreten, und Martin ging an den Rechen, wo die Jagdtaschen und die Gewehre hingen. Er nahm eine der aus Hanfgarn geflochtenen Taschen und flüsterte, während er die Schwester an sich zog: »Und nun vergiß nicht, Hilde. Du weißt doch: Ein Mann, ein Wort!« Und danach rief er den Hund, der aber nicht kam, und ging auf Diegels Mühle zu.

Hilde sah ihm von der Treppe her nach.

Und nun wollte sie sich wieder auf die Steinbank setzen, aber sie konnt es nicht, weil ihr alle Furcht und Angst zurückkehrte, die Martins Zuversicht auf wenig Augenblicke nur aus ihrem Herzen verbannt hatte. So schwankte sie denn, wohin sie gehen sollte, und stieg endlich treppauf in ihre Kammer und öffnete Tür und Fenster. Und wirklich, als erst ein heftiger Luftzug ging, wurd ihr freier, und die Bedrückung fiel von ihr ab.

Baltzer Bocholt war, als nicht Grissel, sondern ein bloß zufälliges Geräusch das Gespräch der beiden Geschwister unterbrochen hatte, vom Flur her auf den Vorplatz und gleich danach ins Freie hinausgetreten. Hier hielt er sich, immer dem Laufe des Baches folgend, auf die Dorfgasse zu, bis er zuletzt, und schon jenseits des Dorfes, an eine von einem große Holzhof umgebene Schneidemühle kam. Er setzte sich hier auf einen Stoß frischgeschnittener Bretter, die zum Trocknen aufgeschichtet waren, und sah in das Land hinein, das vor ihm weit ausgebreitet lag.

Und nun erst, als er den Blick freier hatte, begann er seine Gedanken zu sammeln und sich zu fragen: »Was ist zu tun?« Und ein bitterer Zug umspielte seinen Mund, und er sagte: »Nichts! Nichts …! Und was ist denn auch geschehen? Sie lieben sich. Und warum sollten sie's nicht? Bloß um deshalb nicht, weil ich ein Narr war und einen närrischen Plan hatte? Bloß um deshalb nicht, weil sie Bruder und Schwester sein sollten? Es ist ihr gutes Recht.

Laß sie. Liebe steckt im Blut und muß auch Heimlichkeiten haben; das ist ihr Liebstes und Süßestes.«

Und als er so sprach, klang's ihm wieder im Ohr, was sie sich zugeflüstert hatten und daß sie sich oben treffen wollten, an derselben Stelle fast, wo sie damals schlafend am Waldesrande gelegen hatte. Dicht bei der Muthe Rochussen ihrem Haus. Und alles Blut stieg ihm wieder zu Kopf, und er wußt es selber nicht, ob es Zorn war oder Scham. Aber *das* wußt er: Eifersucht sah ihm starr ins Gesicht und erfüllte seine ganze Seele. »Du hast es nicht wissen wollen. Nun weißt du's.«

Er hatte, während er so sann und vor sich hin starrte, mit seinem Stock allerhand Figuren in das Sägemehl gezeichnet, das über den ganzen Holzhof hin ausgeschüttet lag; als er jetzt aber wahrnahm, daß er von der Mühle her beobachtet wurde, stand er auf, begrüßte sich mit dem Sägemüller und sprach mit ihm über dies und das; über die Gräfin und den preußischen König und über die schlechte Zeit. Und zuletzt auch über die Holzpreise, die jeden Tag niedriger gingen. Aber es war bloß Lippenwerk, und er wußte nicht, was er sprach, und sah unter all seinem Reden immer nur nach dem Sägewerke hin, das in scharfem und schrillem Ton auf und nieder ging und in den eingespannten Baumstamm einschnitt. Es war ihm, als fühl er's mit.

Und endlich brach er das Gespräch ab, weil er weiter ins freie Feld hinaus wollte.

Die Luft strich am Gebirge hin, das tat ihm wohl, und während er so sich ruhiger und auf Minuten auch weicher werden fühlte, kam ihm ein unendliches Bedürfnis nach Aussprache, nach Rat und Trost. Aber wohin? »Sörgel?« Nein. »Oder zu dem alten Melcher?« Nein. »Ich will zu den Toten gehen.« Und in weitem Bogen ging er, ohne die Stunden zu zählen, erst um den Agneten- und dann um den Schloßberg herum, bis er zuletzt an den Kirchhof kam und eintrat.

Hier war alles still, und er hörte nichts als das entfernte Rauschen des Baches und das Aufschlagen der Tannenäpfel. Er ging an dem gräflichen Erbbegräbnis vorüber und sah nach dem Kreuz hinauf, und alles erschien ihm so rätselvoll und ungelöst wie das Zeichen daran. Und nun bog er rechts in einen schmalen Gang ein, wo die Beamten und die Dienerschaften ihren Ruheplatz hatten, und an dem vorletzten Grabe hielt er.

Er war seit lange nicht hier gewesen, und um das Gitter her hatte sich ein dichter Efeu geschlungen; aber nicht gehegt und gepflegt, sondern wie Unkraut. Und so standen auch die Blumen, ein wilder, halbverblühter Knäuel von Balsaminen und Rittersporn. Und auch von Levkojen und Reseda. *Das* waren dieselben Blumen – und zu seiner eigenen Empörung drängte sich's ihm wieder auf –, die sie, vor wenig Tagen erst, von dem Gartenbeete drüben in seine Geburtstagsgirlande geflochten; und mit einem Male stand sie selber wieder vor ihm und sah ihn an. Er konnt ihr nicht entfliehen. Ach! um der heimgegangenen Frau willen, der er sein äußeres Glück verdankte, war er hergekommen, ernstlich gewillt, eine stille Gemeinschaft mit ihr zu haben, ihre Hand wieder zu fühlen und ihr freundlich Auge wieder zu sehen. Und doch alles umsonst. Er sah immer nur das Bild, das sich zwischen ihn und die Tote stellte. »Weg!« rief er und schlug mit der Hand nach dem Bilde. Doch es blieb. Und nun begann er gegen sich selbst zu wüten, daß er auf dem Punkte steh, ein Schelm zu werden und ein langes und ehrliches Leben um einer Narretei willen in die Schanze zu schlagen. »Ich muß heraus aus dem Elend!« rief er. »Aber wo soll ich Hülfe finden, wenn auch *diese* Stelle sie mir versagt?« Und er packte die Stäbe des Gitters und rüttelte daran.

»Oder ob ich mit der Grissel spreche …? Nein, ich muß es allein durchmachen und alles vor mir selber beichten, bis ich's los und ledig bin … Aber was beichten? Und wozu? Was hab ich getan? Nichts, nichts! *Mir* ist viel angetan, viel Weh und Leid, und wenn ich's in Eitelkeit heraufbeschworen und in Schwäche großgezogen hab, so bleibt es doch wahr: Du mein Herr und Gott, deine Hand liegt schwer auf mir ... Es wird nichts Gutes. Ich fühl es ... Es kann nicht. Ich habe wohl das Einsehen und das Auge, daß es besser wär, es wäre anders; aber weiter hab ich nichts. Und ob die Schuld mein ist oder nicht und ob ich's verfahren hab oder nicht, es muß bleiben, wie's ist, und es muß gehen, wie's will.«

Er ließ die Stäbe los, an denen er sich noch immer hielt, und setzte sich auf das steinerne Fundament, drin das Gitter eingebleit war, und nahm seinen Hut und drehte ihn zwischen den Fingern, als ob er bete. Aber er betete nicht; er suchte nur nach Beschäftigung und Ruhe für seine fliegenden Hände. Und es war auch, als helf es ihm. »Ich hab einmal gelesen«, sprach er nach einer Weile vor sich hin, »oder war es Sörgel, der es mir sagte, wenn wir die Besinnung verlieren und nicht wissen, was wir tun sollen, weil hunderterlei zu tun ist und mit eins auf uns einstürmt, dann sollen wir uns fragen: was ist hier das Nächstliegende? Und wenn wir das gefunden haben, so sollen wir's tun als unsere *nächstliegende* Pflicht. Und dabei werd uns immer leichter und freier ums Herz werden; denn in dem Gefühl erfüllter Pflicht liege was Befreiendes ... Ja, so war es. Und was ist denn nun das Nächstliegende? Meine nächstliegende Pflicht ist die des Vaters und Haushalters und Erziehers. Wohl ist es ein Unglück, daß es in meinem alten Herzen anders aussieht, als es drin aussehen sollt. Aber das darf mich nicht hindern, diese Pflicht zu tun. Ich habe für Recht und Ordnung einzustehen und für Gebot und gute Sitte. *Das* ist meine Pflicht. Und so muß ich ihr Gebaren und ihr Vorhaben stören.«

Aber im selben Augenblick übersah er's besser und lachte bitter in sich hinein: »Ordnung und gute Sitte. Hab *ich* sie denn gehalten? Aus aller Zucht des Leibes und der Seele bin ich heraus, und die gute Sitte, von der ich sprech, ist Neid. Ich neid es dem Jungen. Das ist alles. Ich neid ihm das schöne, müde Geschöpf, das müd ist, ich weiß nicht um was. Aber um was auch immer, es hat mich behext, die Grissel hat recht, und ich komme nicht los davon.«

Und ohne daß er die Pein aus seiner Seele weggeschafft oder sich schlüssig gemacht hätte, was zu tun, erhob er sich von dem Stein, auf dem er gesessen, und stieg an einer abgelegenen Stelle des Kirchhofs über die hier halb zerbrökkelte Mauer fort. Und nun hielt er sich immer im hohen Grase hin, das hier zu beiden Seiten des Weges stand, bis er sich umsah und mit eins gewahr wurde, daß er nur noch hundert Schritte bis Diegels Mühle habe. Da bog er scharf rechts ein und stieg einen mit Geröll angefüllten Hohlweg hinauf, der erst auf das Kamp und gleich daneben auf Ellernklipp zulief, auf *Ellernklipp*, dessen schrägliegende Tanne dunkel an dem geröteten Abendhimmel stand.

Dahin zog es ihn, er wußte nicht, warum; und als er bis an die schwindelhohe Stelle gekommen war, von der aus Sörgel damals in die vor ihm ausgebreitete Landschaft geblickt hatte, traf er auf Martin. Und jeder prallte zurück. Auch der Alte. Dann boten sie sich einen frostigen guten Abend und standen einander gegenüber. Rechts die Klippe, links der Abgrund. Und am Abgrunde hin nur der Brombeerstrauch und ein paar Steine.

»Wo kommst du her?« fragte der Alte, dem rasch alles wieder hinschwand, was er an guten Vorsätzen in seiner Seele gefaßt haben mochte.

»Von den Holzknechten. Und ich hab ihnen den Wochenlohn gezahlt.«

»Ei! Hast du? Richtig; 's ist ja Freitag heut ... Und bist sonst keinem begegnet?«

»Nein.«

»Und auch der Hilde nicht?«

»Nein.«

»Und weißt auch nichts von ihr?«

»Ich denke, sie wird zu Haus sein oder bei dem Melcher Harms oben auf den Sieben-Morgen.«

»Oder auf Kunerts-Kamp! Oder bei der Muthe Rochussen Haus! Oder bei den roten Beeren!« Und er packte den unwillkürlich einen Schritt zurücktretenden Martin bei der Brust und schrie: »Wo hast du sie? Wo ist sie?«

»Laß mich los, Vater!«

»Antworte, Bursch!«

»Ich weiß es nicht! Ich *will* es nicht wissen! Ich bin ihr nicht zum Vormund gesetzt! Und nicht zum Hüter!«

»Nein! Ihr Hüter bist du *nicht*! Aber ich will dir sagen, was du bist: ein Räuber, ein Dieb! Und ich will dir sagen, wo du bist: auf verbotener Fährte! Heraus mit der Sprache! Wo hast du sie? Sprich! Aber lüge nicht!«

»Ich lüge nicht!«

»Doch, doch! Lump, der du bist ...« Und sie rangen miteinander, bis der Alte, der sonst der Stärkere war, auf den Kiennadeln ausglitt und hart am Abgrunde niederstürzte.

Martin erschrak und rief in bittendem Tone: »Vater!«

Aber der Alte schäumte: »Der Teufel ist dein Vater!« Und außer sich über die seinen Stolz demütigende Lage, darin er sich erblicken mußte, stieß er mit aller Gewalt gegen die Knie des Sohnes, daß dieser fiel, im Fallen sich überschlug und über einen der Steine hin in die Tiefe stürzte.

Baltzer starrte kalt und mitleidslos ihm nach und horchte, wie die Kusseln knackten und brachen. Einmal aber war's ihm, als riefe es aus der Tiefe herauf, und es klang ihm wie »Vater«.

Und nun erhob er sich und sah sich um. Und sah den Vollmond, der, eben aufgegangen, eine blutrote Scheibe, groß und fragend über dem schwarzen Strich der Tannen stand.

DREIZEHNTES KAPITEL

Im Elsbruch

Er starrte lange hinein, lang und trotzig fast; endlich aber wandt er sich und ging geraden Wegs auf seine Wohnung zu. Das Feuer, das ihn verzehrt hatte, brannte nicht mehr, und das Gewissen hatte seine Stimme noch nicht erhoben; er war nur wie von einem unerträglichen Drucke befreit und wurd auch nicht verwirrt, als er Hilden an der Türschwelle stehen sah. Umgekehrt, ein Gefühl der Eifersucht regte sich wieder, und er sah sie scharf an, als er an ihr vorüber in die Tür trat. Ihr Blick indes begegnete ruhig dem seinen und gab ihm eine halbe Gewißheit, daß alles, was geschehen, ohne Not geschehen sei. Aber er empfand eher Trost als Reue darüber. War es doch nichts Vorübergehendes, was ihn gequält hatte, nein, eine Qual durchs Leben hin. Und *die* war er jetzt los.

Er legte Hut und Hirschfänger ab, wechselte den Rock und machte sich's bequem. Und gleich danach nahm er seinen Meerschaum aus dem Eckspind heraus und trat an den Spiegeltisch, um sich aus einem dort stehenden Kasten die Pfeife zu stopfen. Und alles ohne Hast und Unruh. Er war sich aber des Spieles, das er vor sich selber spielte, voll bewußt und sagte, während er fest in den Spiegel hineinblickte: »Bin ich doch wie der Trunkene, der die Diele hält, um sich und anderen weiszumachen, er habe noch das Gleichgewicht … Und *hab* ich's nicht?« fuhr er nach einer Weile fort. »Ist dies nicht der Spiegel? Und ist dies nicht mein Spiegel*bild*? Und seh ich nicht aus wie sonst …? Oder doch beinahe. Wahrhaftig, ich habe schon schlimmer ausgesehen.«

Und dabei ging er über den Flur in die Küche.

»Gib mir Feuer, Grissel.«

Grissel klopfte mit der Hand in der Asche hin und her und nahm eine Kohle heraus.

»Du wirst dich verbrennen.«

»Nicht doch. Ich hab ja keine Haut wie die Hilde.«

Der Heidereiter überhörte, was Spott darin war, und sagte: »Wo nur der Martin bleibt? Der Junge hat keinen Appell, und mir wär's wirklich recht, er ging unter die Soldaten. Da lernt sich's. Was meinst du, Grissel?«

»Ich? Ich meine nichts. Unter die Soldaten? Da müßt Ihr die Hilde fragen … Aber sollen wir warten mit dem Abendessen?«

»Oh, nicht doch. *Nicht* warten. Er muß pünktlich sein. Wenn's fertig ist, so bringst du's. Wir wollen essen.«

Und damit ging er wieder in seine Stube. Die Pfeife brannte nicht mehr, aber er schmauchte weiter und merkte nichts. Und wie konnt es auch anders sein? In seinen Gedanken stieg er den Weg zurück, den er vor einer Stunde gekommen war, und nun war er oben, und die Mondesscheibe stand wieder über dem schwarzen Waldstreifen und sah ihn an und fragte wieder. Und ein Frösteln überlief ihn.

»Ihr schuddert ja so, Heidereiter«, sagte Grissel, als sie den Tisch deckte.

»Ja … das Fenster ist offen und die Tür. Mach zu. Warum klinkst du nicht ein? Ich will den ewigen Zug nicht; die Fliegen sind längst weg; aber du ruhst nicht eher, als bis ich die Gicht in Händ' und Füßen hab.« Und als Grissel das Fenster geschlossen hatte, setzte er hinzu: »Was essen wir zu Nacht? Eine Suppe?«

»Ja, Heidereiter, eine Zwetschensupp. Und ich werd einen Nordhäuser eintun und ein paar Gewürznägelchen. Oder eine Zimmetstang …«

»Ah, das ist gut, das tu!« sagte Bocholt. »Aber mache flink! Ich will allein sein und früh zu Bett. Und lege mir einen heißen Stein an das Fußende.«

Grissel murmelte was vor sich hin, weil sie bestimmt gegebene Befehle nicht gern hörte, widersprach aber nicht und brachte die Suppe. Zugleich kam Hilde. Alle drei setzten sich an den Tisch, und Bocholt sagte: »Wir wollen beten.«

Und Grissel und Hilde falteten sofort die Hände und warteten; denn gemeinhin sprach er das Gebet. Aber heute sah er vor sich hin, und als alles schwieg, rief er barsch: »Wird es? Bete, Hilde!«

Und Hilde betete: »Segn uns, Vater, Speis und Trank, du gibst den Segen und wir den Dank.«

»Du sprichst es immer so leise, Hilde. Glaubst du nicht dran?«

»Ich glaube dran.«

»An was?«

»An Gottes Segen. Und an seine *Gnade.*«

Der Heidereiter lächelte vor sich hin: »Ist das von Sörgel oder von dem Alten oben …? Aber die Supp ist so heiß …«

»Ihr hattet einen Frost vorhin.«

»Ja, vorhin. Aber jetzt ist es vorbei. Geh, Hilde, mach das Fenster auf, alle beid. Es ist eine wahre Höllenhitze hier … Und wo nur der Martin bleibt? Ich möcht etwas Kühles, 'ne Satte Milch …«

Und Hilde wollte gehen, um die Milch zu holen. Aber er hatte sich inzwischen eines anderen besonnen und sagte: »Nein, laß nur. Es geht vorüber. Ich ärgere mich über den Jungen, das ist alles. Immer unpünktlich, und weiß doch, daß ich's nicht leiden kann.«

»Es ist heute Lohntag«, antwortete Hilde. »Vielleicht, daß er sich bei den Holzknechten verspätet hat. Ich denk … er kann jeden Augenblick kommen.«

»Meinst du?« sagte der Heidereiter, und der Löffel flog ihm in der Hand, während er an Hilde vorbei nach der Tür sah.

Aber es blieb alles still, und der Alte fand sich wieder zurecht und erzählte von den Franzosen und aus seiner Soldatenzeit. Und dann erzählte Grissel eine Gespenstergeschichte, »aber eine wahre«.

»Dummheit«, sagte Baltzer und erhob sich.

Und auch Grissel und Hilde standen auf und waren froh, als sie das Zimmer verlassen konnten. Sie setzten sich draußen an den Herd, um sich in Möglichkeiten zu erschöpfen, wo der Martin geblieben sein könne.

»Der Alte läßt ihm zuwenig freie Hand«, sagte Grissel, »und das ärgert ihn, und er will's ihm zeigen. Und hat auch recht. Ich wett, er hat Gesellschaft gefunden und ist unten im Dorf. Es wird noch manchen scharfen Tanz geben. Aber er setzt es durch, und muß auch so sein.«

Und damit trennten sie sich, und Hilde ging hinauf und hielt oben an der Treppe.

Die Tür zu Martins Kammer stand weit offen, und sie

sah, wie der Vollmond ins Fenster schien, ernster und größer als sonst, als such er wen. Oder als woll er etwas sagen.

Und von einer unendlichen Angst ergriffen, wandte sie sich ab und lief in ihre Stube hinüber.

Baltzer Bocholt atmete tief auf, als er allein war. Er hatte sich bezwungen, ein paarmal unter Daransetzung seiner ganzen Kraft; nun endlich war er's los und konnte sich gehenlassen, ohne Furcht, durch eine Miene das Geschehene zu verraten. Er schritt auf und ab und fühlte von Minute zu Minute, wie's ihm freier und wohler um die Brust wurde. Doch mit eins überfiel's ihn wieder, und die Möglichkeit sah ihm starr ins Gesicht: er sei *nicht* tot und könne wiederkommen. Und könne die Hand gegen ihn erheben zur Anklage vor Gott und Menschen ... Und dann wieder sah er ihn in seinem Elend daliegen, nicht lebend und nicht tot, und ein Schauder natürlichen Mitgefühls ergriff ihn, nicht mit dem Sohn, aber mit der leidenden Kreatur. Und es war ihm, als pack ihn wer und woll ihn würgen, und zuletzt trat er ans Fenster und sah in die Nacht hinaus und horchte, ob wer käme oder ob sie wen brächten. Aber es kam keiner, und sie brachten keinen, und er hörte nur jedes Blatt, das vom Baume fiel, und weit aus der Ferne her das Stampfen und Klappern von Diegels Mühle. Dort lag er, aber noch diesseits, in dem vorderen Elsbruch, und indem er so hin starrte, ward ihm zu Sinn, als sähe er jeden Stamm und dazwischen die Wasserlachen. Und in jeder einzelnen spiegelte sich der Mond. Und weil er des Bildes los sein wollte, wandt er sich ab und lenkte den Blick der anderen Seite zu. Da lag das Dorf und der Sternenhimmel darüber. Und als er hinaufsah in den ewigen Frieden, siehe, da war es ihm, als stiege der Engel des Friedens hernieder und segne jedes Haus. Und nun kam er das Tal herauf, in Mittelhöhe schwebend; aber als er sich *seinem* Hause näherte, wich er aus und stieg höher und höher, bis er hoch über dem Elsbruche stand. Bis in die Sterne hinein. Und nun erst senkte sich der Engel wieder, immer tiefer, bis er zuletzt in den Wipfeln der Bäume schwand. Was wollt er da? Zu *wem* kam er ...? Er wußt es wohl ... jetzt losch das Leben aus.

Und danach trat der Alte vom Fenster zurück und warf sich halb ausgekleidet aufs Bett und war beruhigt und gequält zugleich und seufzte und stöhnte, bis gegen Morgen der Schlaf kam.

Er schlief noch, als Joost an die halb offene Tür des Alkovens trat und hineinsah. »Wi em siene Bost geiht; ümmer upp un dahl ...« Und er stahl sich wieder fort, um ihn noch weiter schlafen zu lassen.

Eine Stunde später aber trafen sich alle bei der Morgensuppe. Der Heidereiter hatte seine Ruhe wieder und aß und trank, und da weder Grissel noch Hilde das Wort nahmen, begann er nach einer Weile: »Länger geht's nicht; wir müssen ihn suchen gehen. Aber *wo*?«

Da warf sich Hilde vor ihm nieder und bekannte, zitternd vor Schuld und Reue, sie hätten sich oben auf Kunerts-Kamp gesehen, keine hundert Schritte von ihrer Mutter Haus, und die Sonne sei gerad untergegangen. Und da hätten sie gesessen und gesprochen und immer das Läuten von des alten Melchers Herde gehört. Und als es gedunkelt, hätten sie sich getrennt. Und sie habe sich nicht geängstigt, weil sie von den Sieben-Morgen her immer noch die Herde gehört habe. Martin aber sei durch den Wald gegangen und auf Diegels Mühle zu.

»Wohl, wohl«, sagte der Alte, der ruhiger blieb, als Hilde gefürchtet. »Also durch den Wald und auf Diegels Mühle zu. Das ist recht. Da geht er immer, und da müssen wir ihn suchen.«

Und er wandte sich ins Dorf, um erst mit dem Schulzen und gleich danach auch mit dem Gerichtsboten zu sprechen, und keine halbe Stunde, so waren alt und jung auf den Beinen, um nach des Heidereiters Martin zu suchen. Denn alle hatten ihn gern und tadelten den Alten, daß er ihn zu streng in der Zucht habe. Das wußt auch der Heidereiter. Und als sie nun die Berglehne hinauf und bis oben an die Sieben-Morgen waren, trat einer von den Büdnern an den wie gewöhnlich auf seiner Graswalze sitzenden Melcher Harms heran und sagte: »Du seihst joa allens, Kamm-Melcher ... Hest em denn nich siehn?« Und der Angeredete strickte weiter und antwortete, während er mit halbem Blicke den Heidereiter streifte:

»Woll. Ick hebb em siehn. Gistern, as de Sünn eb'n unner wihr. Ihrst upp Kunerts-Kamp un denn upp *Ellernklipp* to.«

»Kommt, kommt!« unterbrach Baltzer, dem das Wort Ellernklipp unheimlich zu hören war. Und er führte den Trupp über die Stelle weg, wo der Muthe Rochussen ihr Haus gestanden, und ging erst bis in die Tiefe des Waldes und zuletzt auf einem weiten Umweg um Diegels Mühle und das Elsbruch herum. Und war keiner, der sich gemeldet oder aus freiem Antriebe da hineingewollt hätte, denn es war eine verrufene Stelle. Gegen Mittag aber waren alle wieder zu Haus, und im Dorfe hieß es: er sei weg und zu den Preußen gegangen. Und sei nicht zu verwundern. Der Baltzer sei zu streng gewesen und wiß es auch. Aber er wolle es nicht zeigen und zwinge sich.

Und so verging der Tag, und auch in des Heidereiters Hause hieß es: er ist weg und zu den Preußen gegangen.

Und der Alte widersprach nicht.

Als aber der Abend nahte, kam es ihm doch in die Seele, daß er hin und ihn einscharren müsse. Sonst habe der Tote keine Ruhe. Da wo die Binsen um den kleinen Teich stehen, da mußt er liegen oder doch nicht weit davon. Der Boden war da freilich moorig, aber mitten im Moor waren kleine Sandhügel, und auf einem dieser Sandhügel wollt er ihn begraben. Und heute noch. Gleich.

Er nahm eine Jagdtasche vom Rechen und ging, als er sich vergewissert hatte, daß Joost ins Dorf gegangen war, über den Hof in die Geschirr- und Häckselkammer, in deren einer Ecke allerlei Feld- und Gartengeräte: Sensen und Harken und Spaten, bunt durcheinander standen. Er suchte darin umher, und als er endlich einen ihm passenden Spaten gefunden hatte, stieß er mit einem kräftigen Stoße das Eisen unten ab und verbarg es in seiner Jagdtasche. Gleich danach aber ging er in seine Stube zurück und wählte sich unter seinen Stöcken einen aus, dem er's ansah, daß er als Stiel in das Spatenöhr passen würde. Und nun hing er sein Gewehr über die Schulter, von dem er nicht gern ließ, und machte sich auf den Weg.

Immer am Bach hin. Aber der Mond oben ließ nicht ab von ihm, und auch wo das Buschwerk am dichtesten war, fielen Lichter und Schatten ein, über die sein eigener sich fortbewegte. Mitunter sprang ein Eichkätzchen von einem Baum auf den anderen, und er fuhr zusammen, wenn er das Knicken der Zweige hörte. Jetzt aber zogen dünne Nebel zwischen den Bäumen hin, und er wußte nun, daß er das Bruch unmittelbar vor sich habe. Und wirklich, nur ein paar Schritte noch, so blinkte von rechts her die weiße Wand von Ellernklipp herüber. Die weiße Wand und ihr zu Häupten die dunkle Tanne. Da drunter war es. Und er nahm nun das Spateneisen aus seiner Tasche heraus und steckte den Stock ins Öhr. Aber das Öhr war zu weit, und er wußte nicht, was tun. In seiner Hast und Verwirrung riß er endlich ein Stück aus seinem Sacktuch heraus und wickelte den Fetzen um den Stock herum, bis dieser fest saß. Und nun wollt er weiter. Aber er stand wie angewurzelt. »Ich kann's nicht … Und wozu auch? 's ist Moorgrund, und der gibt nach, und eines Tages hat er sich selber begraben. Sie werden ihn nicht finden … Und wenn doch, so heißt es, er ist verunglückt; ausgeglitten. Und war es nicht so? Oder wer hat es anders gesehen? Einer!« Und er sah in den Mond hinauf. »Aber der plaudert nicht.«

Und er zog das Spateneisen wieder ab, tat's in die Jagdtasche und ging heim.

Als er über den Hof kam, sah er, daß die Geschirrkammer offenstand und Joost ärgerlich und brummend in ihr umhersuchte: »Wihr man nu wedder hier mang west is! Diß oll Diebstüg. Un man blot dat Isen. *Dat* hebben s' mitnoahmen, un de oll höltern Krück hebben s' mi stoahn loaten.«

Baltzer tat, als höre er nicht, und ging in seine Stube. Hier hing er die Tasche, statt an den Rechen draußen, in seinen Schrank und schloß zu. Den anderen Tag aber wollt er das Spateneisen wieder an seinen Platz bringen.

Und nun ging er auf und ab und malte sich Bilder über Bilder in die Zukunft hinein. Aber er dachte auch jetzt noch ein gut Teil weniger an seine Tat als an sein eigen Elend. Es war ihm unerträglich, daß er nicht mehr geradeaus sehen und immer nur schweigen und horchen und auf der Lauer liegen sollte. »Ei, Heidereiter, *das* ist dein Leben nun! Immer in Bangen und immer in Lüge; rastlos und ruhelos, und so bis zuletzt.«

Und er schlug sich mit der Faust vor die Stirn und sah nach dem Gewehr hin und wollte darauf zuschreiten. Aber die Kraft seiner Natur war erschöpft, und er brach zusammen. Und als Grissel und Hilde gleich danach in die Stube traten, lag er ohnmächtig am Boden. Hilde glaubte nicht anders, als daß er tot sei; Grissel aber sah, daß er noch Leben habe, und schickte zum alten »Kamm-Melcher«.

»Es ist vom Blut, Vater Melcher. Ihr müßt ihm die Ader schlagen.«

Der aber schüttelte den Kopf und sagte: »Nein, 's ist ein Fieber. Und wir dürfen's nicht stören. Er muß Ruhe haben und Luft und Schlaf, oder er stirbt.«

Und sie brachten ihn ins Bett, und Melcher wachte die Nacht und hörte die Phantasien des Kranken.

Am anderen Tag aber kam der Ilseburger Doktor, und Grissel versagte sich's nicht, auf Melcher und seinen Eigensinn zu schelten. »Und wenn er stirbt, so hat er ihn auf dem Gewissen.«

»Er hat ihn *gerettet*,« sagte der alte Doktor. »*Ein* Tropfen Blut, und es war vorbei.«

Vierzehntes Kapitel

Drei Jahre später

Es war nun wieder Herbst, der dritte, seitdem Baltzer Bocholt in seine schwere Krankheit gefallen war, und die Berglehnen hüben und drüben standen wieder in Rot und Gelb, und die Sommerfäden zogen wieder, und der Rauch aus den Häusern und Hütten stieg gerade auf in die klare, stille Luft.

Es hatte sich nichts geändert im Tal, am wenigsten oben auf dem Schloß, und die Beamten und Verwalter kamen alle Freitage nach wie vor zum Rapport, und das Feuer brannte nach wie vor in der Halle bei Winter- und Sommerzeit. Auch die schwarze Witwenhaube der Gräfin hatte noch dieselbe tiefe Schnebbe wie vordem, und nur ihr Haar, das unter der Haube hervorsah, war um ein weniges weißer und spärlicher geworden.

Und wie die Gräfin oben auf dem Schloß, so Sörgel unten in seiner Pfarre, der nach wie vor zu Lust und Erbauung seiner Emmeroder predigte, trotzdem er nahe an achtzig war. Und wenn er so sonntags auf seiner Kanzel stand und den Schwindel kommen fühlte, daran er seit Jahren litt, so wußt er rasch ein Ende zu finden und sagte nur: »Der Friede Gottes, der besser ist als alle Vernunft, sei mit euch allen!« und gab nach der Orgel hin ein Zeichen. Und ehe eine Minute vorüber war, sang die Gemeinde ihren letzten Vers, und war keiner unter ihnen, der an dem Predigtabbruch einen ernstlichen Anstoß genommen hätte. Vielmehr schloß ihn mancher in sein Gebet ein und betete zu Gott, daß er ihnen den alten Sörgel, krank oder gesund, noch lange Zeit erhalten möge. Denn er war ein guter, christlicher Mann, christlich in seinem Gemüte, wenn auch nicht immer in seinem Bekenntnis, und liebte seine Gemeinde, darin er über fünfzig Jahre getraut und getauft und mit all seiner Aufklärung keinen nachweisbaren Schaden angerichtet hatte.

Und wie drinnen in Pfarr und Kirche, so war auch draußen auf dem Kirchhof alles beim alten geblieben, und wenn ein Unterschied gegen früher war, so war es *der*, daß die Stechpalmen etwas höher über die Feldsteinmauer hinausgewachsen und zwei Gräber etwas besser gepflegt waren als seit lange: das von Hildes Mutter und das von des Heidereiters erster Frau. Beide standen wieder in Blumen, und während auf dem einen die Gitterknöpfe neu vergoldet waren, waren auf dem anderen die gelben Buchstaben und das Dach über dem Holzkreuz erneuert worden.

In der Tat, nichts hatte sich verändert, und wer in die Talschlucht einbog, der hörte wie früher das Klappern und Stampfen von Diegels Mühle her und sah wie früher die schrägliegende Tanne, die von Ellernklipp herab ihre Nadeln auf den schmalen, an der Felswand hinführenden Fußweg streute. Nichts hatte Wandel oder Abweichung erfahren, auch das Einerlei des Herkommens nicht, und die Tage dreier Jahre, weil sie so gleichmäßig gewesen, waren auch dem Gedächtnis gleichmäßig entschwunden.

Alle, nur *einen* ausgenommen. Und wenn dieser eine, was nicht selten geschah, unter mancher Zutat und Ausschmückung in der Spinnstube durchgesprochen wurde, so hieß es von der einen Seite: wie schön sie gewesen sei und wie blaß. Aber andere lachten bloß und bestritten es und sagten: sie sei nicht blasser gewesen als sonst. Und warum auch? Es sei doch, trotz seiner fünfzig, ein Glück für sie. Denn was habe sie denn mitgebracht in die Ehe? Natürlich die langen Wimpern. Aber die Wimpern, du mein Gott, die hätten ja von Jugend auf die Mauser gehabt, und neben einer fehlten immer zwei. Und dann das bißchen rote Haar. I nun, das möchte gehen. Aber woher *habe* sie's denn? Von der Muthe nicht, die sei schwarz gewesen; und von dem Rochussen erst recht nicht, der sei pechschwarz gewesen und eigentlich überhaupt bloß ein Zigeuner.

Und so ging das Gerede und Gelach. Aber an dem Tage, wo die Hochzeit stattgefunden hatte, da war es anders gewesen, und alles hatte sich herzugedrängt, um das Paar zu sehen. Überall, an der Hecke hin, hatten sie schon vom ersten Läuten an gestanden, und in der Kirche hatte kein Apfel mehr zur Erde gekonnt. Und hatte nicht anders sein können, denn auch viele Ilseburger waren herübergekommen, und in dem gräflichen Chorstuhl hatte nicht bloß die Gräfin gesessen, sondern auch ihr Besuch: Offiziere aus dem Preußischen und Sächsischen her, und darunter ein alter General mit bloß einem Auge und einem schwarzen Seidenfleck auf dem anderen. Und dann war der alte Sörgel von der Sakristei her erschienen und hatte vor dem Altar ein kurzes Gebet gesprochen, ernst und schön; aber eine kleine Weile, da war ihm das Zittern gekommen, an dem er noch mehr litt als an dem Schwindel, und sie hatten ihm einen Stuhl bringen müssen. Und weil er nun so niedrig saß, waren Baltzer Bocholt und Hilde niedergekniet, und so zu den Knienden hatte der Alte gesprochen und ihnen die Traurede gehalten. Er hatte den Text dazu wohlweislich aus dem Buche Ruth genommen, weil er sich der Vorliebe Hildens für das Weib des Boas aus früheren Tagen her sehr wohl erinnert hatte. Der Text aber hatte gelautet: »Und Ruth sprach zu Naemi: Laß mich aufs Feld gehen und Ähren lesen, *dem* nach, vor dem ich Gnade finde.« So waren die Worte gewesen, über die der Alte geredet, eindringlich, liebevoll und kurz. Und als er zuletzt die Formel gesprochen und sie zusammengegeben, hatte sich Hilde von der Bank erhoben, auf der sie gekniet: aber Baltzer Bocholt war noch auf seinen Knien geblieben und hatte sich erst aufgerichtet, als ihm Hilde zugeflüstert, es sei Zeit. Und danach hatte jeder sehen können, wie's ihm um den Mund gezuckt, keiner aber deutlicher als der alte Melcher Harms, der all die Zeit über unterm Chorstuhl der Gräfin gestanden.

Und danach hatte man die Kirche verlassen, und alle Geladenen waren in das Hochzeitshaus hinübergegangen, um an dem Schmaus und der Freude des Tages teilzunehmen; an Melcher Harms aber, der seitens des

Heidereiters nicht aufgefordert worden, war einer der gräflichen Diener mit der Weisung herangetreten, daß ihn die Gräfin um die sechste Stunde zu sprechen wünsche.

Da hatte sich der Alte verneigt. Und mit dem sechsten Glockenschlage war er erschienen und durch die große Halle hin auf einen mit einem vergoldeten Gitter eingefaßten Balkon geführt worden, auf dem die Gräfin mit ihren Gästen Platz genommen und eben ein angeregtes Gespräch begonnen hatte. Zumeist mit dem alten General, der quer saß und mit seinem zugeklebten Auge – denn die Dinge dieser Welt bedeuteten ihm nichts mehr – in die Landschaft sah. Als aber die Gräfin ihres Schützlings ansichtig geworden, hatte sie sich erhoben und ihn ihren Gästen als ihren »besten Freund« vorgestellt, was bei den jungen Herren ein Lächeln und eine Verwunderung, bei dem alten General indessen, der ein Zinzendorfscher war, eine freudige Zustimmung gefunden hatte.

»Setzt Euch, Melcher Harms. Hierher, bitte. Ich habe den Herren von Euch erzählt. Und der Herr General, der im Bekenntnis steht und an die Wunder und Wege Gottes glaubt, möcht Euch kennenlernen und ein Wort von Euch vernehmen. Ihr waret in der Kirche heut und habt den alten Sörgel gehört. Wie schien er Euch?«

»Er hat mir das Herz getroffen. Und das hat er, weil er die *Liebe* hat. In *der* steht er und wirket in Segen, obwohlen er den Quell des Glaubens vermissen läßt, um *die*, die wahrhaft dürsten, damit zu tränken. Er hat nur die *zweite* Liebe, die Menschenliebe … Zumeist aber liebt er die Hilde, das liebe Kind, das nun heute seines Pflegevaters ehelich Weib geworden ist. Und Gott gebe seinen Segen und tue das Füllhorn seiner Gnaden auf und woll alles zum Guten und Besten wenden.«

»Aber, Vater Melcher, das klingt ja fast, als fürchtet Ihr ein Gegenteil! Und ich denke doch, alles liegt gut. Ich habe wohl reden hören von des Heidereiters Sohn, und daß sie *den* geliebt hätt und nicht den Alten. Aber Ihr wißt, wir haben ihn in unseren Amtsblättern aufrufen lassen und danach in allen Gazetten, ohne daß er gekommen wär oder ein Zeichen seines Lebens gegeben hätte. Und ist nun tot befunden und erklärt. Oder glaubt Ihr, er werde wiederkommen?«

»Er wird nicht wiederkommen«, antwortete Melcher, indem er seine Stimme hob. »Und *wenn* er wiederkommt, so kommt er, woher wir ihn nicht rufen können. Und kommt freiwillig, um noch zu ordnen, was zu ordnen ist. Denn ewig und unwandelbar ist das Gesetz!«

Alle horchten auf.

Die Gräfin aber entgegnete: »Ich weiß, Vater Melcher, daß Ihr an solche Erscheinungen glaubt, und ist nicht Ort und Stunde, dafür oder dawider zu streiten. Und auch nicht darüber« – und hier verbeugte sich der alte General gegen die Gräfin –, »ob nicht die Gnade mächtiger und unwandelbarer ist als das Gesetz. Über all das nicht heute. Heute nur *das*: Ihr wißt, daß er tot ist?«

Der Alte bejahte.

»Nun denn, so seh ich nicht, was Euch Furcht oder Sorge schafft. Oder mißtraut Ihr dem Manne? Daß er bei Jahren, ist nicht vom Übel. Es sind nicht die schlechtesten Ehen, wo der Mann sein Ansehen verdoppelt, weil er zugleich ein Vater und Erzieher ist. Ich hab umgekehrt mehr Ehen daran scheitern sehen, daß dies Ansehen fehlte. Der Baltzer Bocholt aber *hat* das Ansehen; er ist ein ehrenhafter Mann und wird die Hilde nicht an den Altar gezwungen haben.«

Der Alte schwieg.

»Ihr schweigt. Wenn Ihr es anders wißt, so sagt es. Ich hab eine Teilnahme für das Kind. Ich meine für die junge Frau.«

»Nein, er wird die Hilde nicht an den Altar gezwungen haben«, wiederholte Melcher Harms die Worte der Gräfin. »Und doch ist es ein Zwang.«

»Ihr müßt deutlicher sprechen, Vater Melcher. Ihr seid zu vorsichtig in Eurer Rede.«

»Nun denn, Gräfin, sie hat nie vergessen, was er an ihr

getan; aber zugleich auch ist sie die Furcht vor ihm nie losgeworden. Und aus Furcht und Dankbarkeit ist es gekommen, und aus Furcht und Dankbarkeit hat sie ja gesagt.«

Unter diesem Gespräch hatte sich die Teilnahme des alten Generals, dem in der Tat ein gut herrnhutisch Herz in der Brust schlug, immer aufrichtiger dem »Erweckten von Emmerode« zugewandt; die Gräfin aber antwortete: »Sörgel und Ihr, Melcher Harms, ihr seid ihr Freund. Aber Ihr wißt doch, was die Leute sagen: sie lebe so müd und matt in den Tag hinein; und stille Wasser seien tief. Und sei keiner, dem sie's nicht angetan. Und habe doch selber kein Herz und keine Liebe. Ja, lächelt nur! Ihr seht, ich habe meine Zuträgerschaften. Aber ich mißtraue solchem Urteil, und nun sagt mir das Eure.«

»Wer das alles von der Hilde gesagt hat, der hat sie gut genug gekannt. Aber er ist auf halbem Wege stehengeblieben. Ja, Gräfin, es ist eine sehnsüchtige Natur, die Liebe will. Und daß ich's sagen muß: auch irdische Liebe. Danach trachtete sie durch Tag und Jahr und wartete darauf und wartet *noch*. Und ist all' umsonst, wie lang sie warte. Denn ich seh ihre Zukunft so klar wie die Tanne drüben auf Ellernklipp, und weil sie's auf Erden nicht finden wird, so wird sie's suchen lernen dort oben und wird sich klären und in himmlischer Liebe leben und sterben. Und wird ein Engel sein auf Erden. All das seh ich, und sehe nichts mehr von ihrer Schuld und Schwäche. Ja, Gräfin, eine Gebenedeite wird sie sein, sie, die heute nach dem unerforschlichen Ratschlusse Gottes ihres Pflegevaters Frau geworden ist. Und wird die Kraft haben, viel manchen von uns freizubeten, zumal auch *einen*, den ich heute nicht nennen will.«

Er hatte das alles mit dem ganzen Leuchteblick eines echten Konventiklers gesprochen, der sich seiner Prophetengabe voll bewußt ist, und selbst die jungen Herren, die sich anfangs nur spöttische Bemerkungen über das »Orakel von Emmerode« zugeflüstert hatten, waren still geworden. Der alte General aber, als Melcher Harms jetzt aufstand, stand mit ihm auf und gab ihm das Geleite durch Saal und Halle hin bis an die Wendeltreppe.

Die jungen Offiziere ihrerseits hatten inzwischen ihren Übermut wiedergewonnen und zogen sich, ungestört von der Gräfin, in eine Balkonecke zurück, die jedem einzelnen einen Blick auf das Tal und das gegenüberliegende Haus des Heidereiters gönnte.

»Sieh, Lothar«, sagte der eine, »sie stecken jetzt drüben die Lichter an.«

»Aber ohne Hymens Fackel.«

»Es wird so schlimm nicht sein«, entgegnete der erste wieder. »L'appetit vient … Und nun gar *die*: blaß und rotblond und matt und müde. Wir sagen ›languissant‹, und ich denke, wir wissen, was es meint.«

»Aber languissant ist irdisch. Und du hast doch gehört, mit dem Irdischen ist es für sie vorbei.«

»Nicht doch. Er sprach bloß von der Zukunft. Und wenn wir auf *die* warten, ich mein auf die Zukunft, so wachsen wir uns *auch* noch in die himmlische Liebe hinein. Beiläufig, wie denkst du sie dir?«

»Entbehrlich.«

Und sie lachten und medisierten weiter.

In des Heidereiters Haus aber wuchs der festliche Lärm, und als spät nach Mitternacht alles heimkehrte, war keiner, der nicht versichert hätte, daß dies die lustigste Hochzeit seit Menschengedenken gewesen sei.

»Und je lustiger die Hochzeit, desto glücklicher das Paar.«

Fünfzehntes Kapitel

Das kranke Kind

Ja, das war der Tag, der unvergessen in Emmerode fortlebte, und nur einer war, der eine beinahe gleiche Teilnahme geweckt hatte, *der*, an dem es hieß: »Die Störche ziehen, aber in Bocholts Haus ist einer angekommen.« Und so war es; Hilde war eines Kindes genesen, eines Knäbleins mit spärlichem rotblondem Haar, und die weise Frau hatte gesagt: »Es wird nicht alt. Es ist zu hübsch und zu durchsichtig und sieht aus, als wüßt es alles.«

Und nur zu bald zeigte sich's, daß die weise Frau richtig gesprochen, obschon es anfänglich gedieh und runde rote Backen hatte. Doch ehe noch ein Vierteljahr um war, konnte jeder sehen, daß es krank war, denn mit eins wurd es blaß, und seine Wimpern schlossen sich, und das Atmen wurd ihm schwer. Und wenn dann der Anfall vorüber war, schlief es ein und nahm keine Nahrung und schlief viele Stunden lang, als wär es tot. Und dann kniete Hilde vor der Wiege nieder und seufzte leise: »Armes Kind«, und küßte es, erst still und dann leidenschaftlich; ach! sie durft es, ohne Furcht und Sorge, es aus dem Schlafe zu wecken. Das müde Kind schlief eben weiter. Und zuletzt kam Grissel, die, seit das Kind da war, wieder zu Hilde hielt, und schickte die junge Frau hinaus, in Feld oder Garten, »daß sie doch mal was anderes säh als das arme kranke Wurm«, und setzte sich selbst heran, auf einen Schemel oder eine Fußbank, und sang ihr »Buküken von Halberstadt« mit solcher Gewalt über die Wiege hin, daß es immer war, als ob sie dem Kinde was von ihrer eigenen Lebenskraft einsingen wollte. Und dabei ging die Wiege wie auf hoher See. Wenn dann aber ein neuer Anfall kam, so holte sie heiße Tücher vom Ofen oder aus der Küche her und legte sie auf den Leib des Kindes; denn sie hatte ganz bestimmte Heilmittel und ging davon aus, daß es ein »Reißen« sei; »Kinder hätten immer das Reißen, und sei kein Unterschied, ob in Kopf oder Zahn oder Ohr oder Leib«. Aber die heißen Tücher machten es nur schlimmer, und die heftigen Anfälle minderten sich erst, als Grissel eines Tages mit dem alten Melcher Harms gesprochen und dieser ihr gesagt hatte: sie solle die heißen Tücher lassen und statt ihrer einen Doppel-Spezies oder einen großen Mansfelder Taler auf die Herzgrube des Kindes legen. Und wenn er da drei Vaterunser lang gelegen, dann solle sie den Spezies oder den Mansfelder wieder fortnehmen und einen neuen hinlegen. Denn das Kind brauche Kühle, nicht aber Hitze.

Das half denn auch, wenigstens auf Wochen hin, und der alte Melcher Harms würde vielleicht noch weiter geholfen und jedenfalls der Mutter ein Trosteswort gesprochen haben, wenn er nur hätte ins Haus kommen und das Kind sehen dürfen. Aber das litt der Heidereiter nicht, und als Hilde sich ein Herz nahm und es bei sich bietender Gelegenheit in bestimmten Worten von ihm erzwingen wollte, wurd er rot und sah so bös aus wie früher, wenn ihm die Zornader schwoll. In allem anderen aber war er stiller geworden und weniger streng und ließ vieles hingehen, und nur gegen den Melcher Harms, wie Hilde mit jedem Tage mehr erfahren mußte, verblieb ihm ein Groll, der um so tiefer saß, als er sich mit *dem* mischte, was er sonst nicht kannte: mit Furcht. Er mutmaßte nämlich, daß der Alte damals, als er an seinem Bett gewacht, allerlei von dem, was das Fieber auszuplaudern pflegt, gehört haben müsse. Von diesem Verdachte konnt er nicht los, und eines Tages, bald nach der Hochzeit, wurd es ihm wie zur Gewißheit.

An diesem Tage war Melcher Harms wie gewöhnlich des Weges gekommen, seinen Spitz neben sich und sein Strickzeug in der Hand, und die Kühe des Heidereiters, als sie das Läuten von fernher gehört, waren von selbst aus der offenen Stalltür getreten und hatten sich angeschlossen. Alles wie sonst. Und so war der Alte vorbeigezogen, mit einem Gruß gegen Hilde, die, blasser noch als gewöhnlich, an dem offenen Fenster gestanden hatte. Hinter dem Gehöft aber war er nicht nach rechts hin auf die Berglehne hinaufgebogen, sondern hatte, weil die Sieben-Morgen schon abgeweidet waren, alles weiter talaufwärts, auf Diegels Mühle zu, getrieben. Überall stand Unterholz, und der schmale verwachsene Weg hielt ihm von beiden Seiten her die Herde zusammen. Und so war er bis dicht an den Fuß von Ellernklipp herangekommen und hatte schon das

Elsbruch oder doch die Vorläufer davon zu seiner Rechten, als sein Spitz, ein altes abgerissenes Stück Zeug zwischen den Zähnen, aus dem Gebüsch herauskam und es zu Füßen seines Herrn niederlegte. Der bückte sich, und weil er sparsam sein gelernt hatte, nahm er's auf und tat es in seine Ledertasche. Und siehe, es traf sich, daß er auf der Stelle fast einen Nutzen daraus ziehen sollte. Denn als sie wenige Minuten später aus dem Bruche wieder heraus waren und eben etwas lehnan an einem Plankenzaune vorbei wollten, wurde die vorderste von des Heidereiters Kühen in die Planken hineingedrängt und riß sich an einem rostigen alten Nagel das Fleisch dicht über dem Knöchel auf. Es blutete heftig, und Melcher, als er's sah, legte den Leinenlappen, den ihm sein Spitz aufgestöbert hatte, sorglich um die Wunde herum.

So verging der Tag.

Als aber Joost am Abend in der Stalltür stand und beim Anblick der rückkehrenden Herde gewahr wurde, daß die Braune, die die beste Milchkuh war, lahm ging und bei jedem Schritt einknickte, rief er den Heidereiter, daß er käme und sähe, was es sei. Der kam denn auch und wikkelte zunächst den Verbandlappen wieder ab. Als er ihn aber in Händen hielt und sah, daß es das Stück Sacktuch war, das er damals abgerissen und um den Spatenstock gewickelt hatte, kam ihm ein Schwindel, und er fiel ohnmächtig an der Stalltür nieder. Und in der Nacht sprach er wieder irr, und alle glaubten, daß er einen Rückfall in die schwere Krankheit haben werde. Doch er überwand es, und eine Woche später ging er wieder in den Wald und hatte seinen Mut und seine Farbe wieder; nur dem Melcher Harms wich er aus, weil es bei ihm feststand, er hab es ihm zeigen wollen. Darin aber ging er fehl. Alles war Zufall gewesen (wenn es einen Zufall gibt), und nur in dem *einen* traf er's, daß der Alte, sowenig er einen bestimmten Beweis in Händen hatte, vor sich selber fest überzeugt war: der Heidereiter wisse nicht bloß um Martins Tod, sonder sei schuld daran.

Unter allen Umständen aber war es von dem Tag an, daß Baltzer Bocholt erklärt hatte, den Melcher Harms in seinem Hause nicht mehr sehen zu wollen. Ja, sein Groll war weitergegangen und hatte von Hilde gefordert, daß sie die Freundschaft mit ihm fallenlasse. Das passe sich nicht für sie. Die Gräfin oben, die dürfe das. Aber eines Heidereiters Frau, die müsse sich in ihrem Stand halten und dürfe nicht Freundschaft haben mit einem Schäfer.

Und Hilde widersprach nicht und unterwarf sich in allem.

Als aber das Kind kam und kränkelte, da schickte sie doch die Grissel heimlich hinauf und ließ fragen, und als es immer schlimmer ward und auch der Spezies und der große Mansfelder Taler auf der Herzgrube nicht mehr helfen wollten, da faßte sie sich ein Herz und stieg selber hinauf auf die Sieben-Morgen und brachte dem Alten oben das Kind, daß er sähe, was es sei. Und er legte sein Ohr an die Brust des Kindes und behorchte den Atem und wie das Herz ging. Und dann gab er es ihr zurück und sagte: »Ja, Hilde, das Kind ist krank.«

»Ach, was ist es? Ihr seid so klug, Melcher Harms. Macht es mir wieder gesund. Ihr kennt alle Kräuter und habt so viele Mittel und Sprüche. Helft ihm doch. Seht, es ist mein ein und alles. Und wenn es stirbt, so hab ich nichts mehr. Denn ich werde kein anderes haben. Und ich will auch kein anderes; nein, nein! Ach, weiß es Gott, ich habe mir auch dieses nicht gewünscht. Aber nun ist es da und sieht mich immer so still und so traurig an, und nun möcht ich doch, es bliebe mir. Und ist mir mehr wert als die ganze Welt. Und mir ist, als lebt ich nur noch, daß ich ihm mit Tränen und Küssen den Blick fortschaffe. Ja, das möcht ich, Melcher Harms. Und daß es mal lächelt und ohne Klag und Vorwurf. Und ist mir gleich, ob Ihr ihm Kräuter gebt oder ob Ihr es besprecht. Ich will nur, daß es lebt und nicht mehr so traurig sieht.«

Er hatte der jungen Frau Hand genommen und sagte: »Was ich wußte, Hilde, das hab ich gesagt. Und da hilft kein Kraut, von dem ich weiß.«

»Ach, so betet es gesund.«

Er schüttelte den Kopf. »Du bist noch jung. Wer aber alt ist, der weiß, mit dem Beten ist es ein eigen Ding und ist nicht wohlgetan, es eigensinnig von Gott abringen zu wollen. Er willfahrt uns, denn das Gebet ist mächtig mitunter, aber er tut es widerwillig, und ich habe noch keinen Segen davon gesehen. Und darum mag ich's nicht. Und ist was Gewaltsames dabei. Nein, Hilde, laß es. Aber irdisch Wissen und irdische Mittel, die sind erlaubt, und so rat ich dir, versuch es mit dem alten Schliephake drüben und fahr hinüber nach Ilseburg. Der ist klug und hat deinen Mann aus der großen Krankheit wieder aufgebracht. Und wenn wer helfen kann, so wird der helfen. Aber du mußt dich eilen und deinem Mann nicht sagen, daß *ich* dir's geraten habe, sonst sagt er nein. Denn er mißtraut mir und glaubt, daß ich Übles gegen ihn im Schilde führe. Darum nenn ihm meinen Namen nicht … Du bist ja 'ne Frau und wirst dir zu helfen wissen.«

Und sie versprach es lächelnd und ging. Und der Alte sah ihr nach. Aber es war die Hilde nicht mehr, die, die Butt auf dem Kopf und die rechte Hand in die Seite gestemmt, auf die Sieben-Morgen hinaufgestiegen war.

Elend war sie, elend und lebensmüde wie das Kind, das sie weinend an ihrem Busen barg.

SECHZEHNTES KAPITEL

Eine Fahrt nach Ilseburg

Hilde tat nach des alten Melchers Rat, und es vergingen nicht drei Tage, so hielt der kleine Jagdwagen vor der Treppe des Hauses, und Hilde stieg auf und ließ sich das Kind reichen, das heute das Köpfchen fast verdrießlich in die Kissen barg. Es war, als ob es wisse, was ihm diese Fahrt bedeute. Zuletzt erschien auch der Heidereiter, schwang sich über das Rad weg auf den Vordersitz hinauf und nahm die Leinen aus Joosts Hand, der schon vorher das Büchsgewehr in den anderen Eckplatz gestellt hatte. Denn in Ilseburg war Freischießen, und Baltzer, der seit Jahr und Tag nicht hinübergekommen war, wollte mal wieder mit dabeisein.

Und nun zogen die Pferde an, und Grissel, die dem Fuhrwerke nachsah, sagte zu Joost: »Oll Schliephake … Klook is he … Awers wat helpt et? He wahrd ook nich veel ut em moaken.«

»Worüm sall he nich?«

»Wiel uns' Lütt utgeiht as 'n Licht … Un weetst, wat ick disse Nacht siehn heww?«

»Nei. Wohier sall ick?« antwortete Joost.

»'n Sarch wier et … Un stunn upp unsen Floor.«

»Un wihr leeg in?«

»Ick künn et nich recht siehn. Een witt Doog leeg dröver, un ick glöw, et wihr de Lütt … Un denn wihr et ook wedder so grot.«

»Se seggen joa, dat bedüt ümmer wat Goods.«

»Joa, *vör* twelven.«

Und während sie so sprachen, fuhr der Wagen durchs Dorf und alsbald an einer hohen, etwas zurücktretenden Berglehne hin, über deren Tannenwald ein bläulicher Nebel lag. Aber zur anderen Seite der Straße dehnte sich alles in klarer Luft: Brach- und Stoppelfelder und dazwischen ein paar verspätete Haferstreifen. Und wo das Feld inmitten des Flachlandes leise wieder anstieg, standen ein paar Burgtrümmer und Schindeltürme.

Die Bocholtschen Eheleute sprachen nicht. Baltzer hatte mit den Pferden zu tun, die seit ein paar Tagen nicht herausgekommen waren, und Hilde sah auf das Kind und mühte sich, ihm ein Lächeln abzugewinnen. Umsonst, es wollte nicht lächeln und wandte sich unwirsch ab, als es merkte, daß es sich durchaus freuen solle. So ging es unter den schwer tragenden Apfelbäumen hin, die von links und rechts her den Weg einfaßten und Hilden ein Mal über das andere mit einer Zweigspitze streiften. Einmal griff sie danach, riß einen Apfel ab und hielt ihn dem Kinde hin. Und sieh, es lächelte und streckte die Hand danach. Und nun lächelte auch Hilde.

So ging die Fahrt, und als sie den halben Weg hatten und den Berg hinauf waren, der hinter einem der alten Klosterdörfer ansteigt, sahen sie das schöne Ilseburg mit seinem Turm und seinem Schlosse vor sich liegen, und an einem ausgestorbenen Kirchhof entlang, über dessen eingefallene Gräber hin eine ganze Wildnis von Holunder und Hagebuttensträuchern wuchs, fuhren sie durch ein seitwärts gelegenes Gatter in das Städtchen hinein.

In allen Straßen war Lust und Leben, und Baltzer freute sich von Herzen, mal unter Menschen zu sein und etwas anderes zu sehen als eine weinende Frau. Das mit dem Kinde hielt er für nicht so schlimm und entsann sich mit einem gewissen Behagen, daß ihm in seinen jungen Jahren von seiner Mutter immer wieder und wieder erzählt worden war, er sei klein und dürftig und überhaupt ein schwächliches Kind gewesen. Und so stand ihm denn fest, daß ihm der alte Schliephake, den er von seiner großen Krankheit her schätzte, nicht bloß einen guten Rat, sondern auch einen guten Trost geben werde. Warum sollt es denn auch ein schwächliches Kind sein?

An der Ilsenbrücke war ein Wirtshaus mit einem an einem Arm hängenden Schilde, darauf ein goldener Ritter mit geschlossenem Visier abgebildet war. Mutmaßlich ein alter Emmeroder Graf. An diesem Wirtshause hielten sie, stiegen ab und gingen nach einer kurzen Zwiesprach mit der Wirtin auf des Doktors Haus zu, das in nächster Nähe gelegen war.

Sie fanden ihn in einer Hinterstube, gerade damit beschäftigt, über den Hof hin einen ganzen Regen von Gerstenkörnern auszustreuen. Denn er war ein leidenschaftlicher Tauben- und Hühnerzüchter, und wenn die zwei jungen Hähne, die den Hof beherrschten, die Glucken und Küken nicht nahe genug heranließen, so griff er in eine neben ihm stehende Schüssel mit Kartoffeln und Mohrrüben und warf die Stücke mit hoher Geschicklichkeit nach den allzu Zudringlichen, daß sie, kollernd und krähend, auf ein paar Augenblicke das Feld räumten. Er nannte das seinen »Schutz der Witwen und Waisen« und verschwor sich hoch und teuer, daß die ganze Welt in derselben Weise regiert werden müsse.

Die Bocholtschen Eheleute hatten nach einer halb herzlichen, halb verlegenen Begrüßung am Speisetisch Platz genommen, und Hilde säumte nun nicht länger, unter einem Strom von Tränen alles vorzutragen, was ihr das Herz bedrückte. Baltzer wollte verbessernd dazwischensprechen, aber der Doktor wies ihn mit einer leisen Handbewegung zurück und sagte: »Nicht doch, Bocholt. Eine Mutter sieht immer am besten. Und jedenfalls besser als ein Vater.« Und danach nahm er das Kind aus den Kissen und behorchte seinen Atem und den Schlag seines kleinen Herzens, ganz wie Melcher Harms es seinerzeit getan hatte.

Das waren erwartungsvolle Minuten. Endlich aber gab er das Kind an Hilde zurück und sagte: »Geht ins Freie mit ihm, liebe Frau. Die Luft ist zu schwül und zu drückend hier. Und Luft ist alles für das Kind. Ich will aber doch etwas aufschreiben, zur Erleichterung, und es Eurem Manne geben … Er kommt Euch dann nach.«

All' das klang ihr nicht gut und trostreich, und sie sah wohl, daß er allerlei Dinge zu sagen hatte, die sie nicht hören sollte. Sie ging aber, und als Schliephake, der ihr mit dem Ohre gefolgt war, die Haustür ins Schloß fallen hörte, schob er seinen Stuhl näher an Baltzer heran und sagte: »Ich wollt erst Eure Frau forthaben; Ihr aber, Bocholt, Ihr müßt es hören können … Es muß sterben.«

Baltzer Bocholt fuhr zusammen und sagte dann, indem seine Stimme stotterte: »Warum sterben?«

»Weil es kein Leben hat. Es ist welk, so welk, daß jede Stunde Leben ein Wunder ist.«

Aber das gefiel dem Heidereiter nicht, der ein dünkelvoller Mann war und in seinem Dünkel auch auf seine

Kraft und Kernigkeit große Stücke hielt. Und er antwortete mit sichtlicher Verstimmung: »Ich bin ein gesunder Mann, Doktor, und hab eine junge Frau.«

Schliephake lächelte vor sich hin und sagte, während er seine Hand vertraulich auf des Heidereiters Knie legte: »Wohl, ich seh schon, es mißfällt Euch, und Ihr hört nicht gern von dem welken Kind. Aber daß ich's Euch sage, Baltzer Bocholt, mit unserer Kraft ist nichts getan, und ist nicht besser damit als mit unserem Wissen. Alles ist Stückwerk und nichts weiter.«

Er schwieg eine Weile. Als er aber wahrnahm, daß ihn der Heidereiter immer noch verwundert ansah, nahm er wieder das Wort und sagte: »Ja, Baltzer Bocholt, Ihr starrt mich an. Aber seht, unsere Stunden sind nicht gleich, und an der Stunde hängt alles. Und oft auch am Augenblick. Ihr seid ein rüstiger Mann, und Eure fünfzig haben Euch noch nicht viel getan. Es stimmt noch in Brust und Rückgrat, und von dem bißchen Grau sprech ich nicht, das kleidet Euch. Aber wie steht es *hier*?« und dabei stieß er leise mit dem Finger auf Baltzer Bocholts Herz.

Der verfärbte sich.

»Und«, fuhr Schliephake fort, »wie steht es mit Eures *Weibes* Herz? Ihr sollt mir die Frage nicht beantworten, und vielleicht auch *könntet* Ihr's nicht. Denn wer liest in anderer Leute Herzen und nun gar in eines Weibes Herz! Aber das will ich Euch sagen: auf das *Herz* kommt es an; das Herz entscheidet. Und wo Freude wohnt, da gibt es Leben, und wo Leid wohnt, da gibt es Tod. Und das *Leid* hat eine große Gevatterschaft: Angst und Not und Kummer und Reu. Und wenn Ihr so feste Rippen hättet wie der Halberstädter Roland und es zehrte was *hier*, so wär es nichts mit Eurer Kraft. Und an jedem zehrt es mal, mal so, mal so, und wandelt ihm die Kraft in Unkraft. Im Letzten freilich ist alles Geheimnis, es heiße nun Leben oder Tod. Aber das ist gewiß, Eures Kindes Herz ist krank, und es muß sterben.«

Ein Verdacht, ähnlich dem, den er gegen Melcher Harms

hegte, schoß einen Augenblick in des Heidereiters Herzen auf. Aber er bezwang sich rasch wieder und dankte dem Alten für seinen Rat, so schmerzlich ihm derselbe gewesen. Und danach bat er ihn noch, ihm, wie er's vorgehabt, etwas für das Kind aufschreiben zu wollen, wenn auch nur zum Schein und um der Frau willen. Und als er den Zettel in Händen hatte, ging er murmelnd und kopfschüttelnd aus dem Hause, um Hilden aufzusuchen.

Er war fest entschlossen, ihr von dem angeblich hoffnungslosen Zustande des Kindes nichts zu sagen, und fand sich um so leichter in diese Rolle hinein, als des alten Schliephake Wort ihn noch viel mehr verdrossen als betrübt hatte. Wohl, er liebte das Kind; aber wenn es doch nicht leben konnte, so war es am besten tot.

Er blieb nicht lange mit Hilde, ging vielmehr bald auf die Wiese hinaus, wo das Freischießen schon im Gange war, und freute sich, als er von der angeheiterten Gesellschaft mit einem Hoch empfangen wurde. Hart am Scheibenstande plätscherte die Ilse vorüber; am anderen Ufer aber stieg der Unterbau des alten Schlosses auf, und von allen Seiten her schmetterte Musik und klang aus den Bergen wider.

»Nun, Heidereiter«, rief ihm einer von den Ilseburgern zu, »schießt für mich. Ich bin an der Reihe, so habt Ihr den ersten Schuß.« Und er nahm es an. Aber die Kugel traf nur den Rand, und allerlei Stichelreden wurden laut, die den Alten in seiner Eitelkeit und Standesehre verdrossen, so wenig böse sie gemeint waren. Und als auch ein zweiter Schuß wieder ein Fehlschuß war oder doch nicht viel besser, verließ er auf Augenblicke den Schießstand, um in der Budenreihe, die den Schützenplatz einfaßte, sein Glück zu versuchen. Er wollte dem Kinde ein Spielzeug gewinnen, oder vielleicht war auch ein Aberglaube dabei, und so warf er denn dreimal und zuletzt so heftig, daß der eine der drei Würfel über die Bande sprang. Aber er blieb jedesmal unter zehn, und weil er nicht mit leeren Händen heimkehren wollte, wie wenn er des Kindes gar nicht gedacht hätte, so sah er sich gezwungen, einiges von dem Spielzeug zu kaufen.

Und danach ging er auf einem Umwege wieder an den Schießstand zurück.

Auf diesem jedoch stellte man eben das Schießen ein, und er kam nur noch zu rechter Zeit, um sich einem abziehenden Trupp Osteroder, deren Wiesen und Äcker mit Emmerode grenzten, zu gemeinschaftlicher Rückfahrt anzuschließen, allerdings erst, nachdem man vorher noch in dem großen und langgebauten Erfrischungszelt, an dessen Flaggenstange das braunschweigische Roß flatterte, gevespert und natürlich auch einen guten Trunk genommen haben würde. Und nicht lange, so saßen sie, jung und alt, um die langen, aufgenagelten Tische her und sprachen dem Einbecker Biere zu, das in diesem Zelt am besten und frischesten zu haben und eben deshalb auch eines besonderen Zuspruchs sicher war. Auch ein paar Ilseburger, die mit dem Heidereiter Freundschaft oder Gevatterschaft hielten, hatten sich eingefunden, und weil das gute Bier allen die Zunge löste, so gab es bald ein Erzählen von Krieg und Frieden und am meisten von den hannoverschen Rotröcken, die mit übers Wasser müßten, ohne Recht und Ordnung. Und sei 'ne Schand. Aber zuletzt kamen alle wieder auf das Nächstliegende zurück und sprachen von Diegels Mühle, die ja nun verkauft werden solle, nächsten Freitag schon, und auf siebentausend Gulden werde sie wohl kommen, oder noch höher, weil ja das ganze Elsbruch zugehöre, mitsamt dem Kamp oben und Ellernklipp.

All das hatte sich bald an diesen und bald an jenen gerichtet, als aber das Wort Ellernklipp fiel, beugte sich einer von den Osterodern vor und rief über den Tisch hin: »Is et denn woahr, Heidereiter, wat se seggen?«

»Was?« fragte dieser.

»I, se seggen joa, et spökt upp Ellernklipp. Un schreegt un röppt.«

»Unsinn«, preßte Baltzer heraus. »Und was ruft es denn?«

»*Vader*, röppt et. Ümmer man dat een.«

Und der Heidereiter, der eben den Krug erhoben hatte, setzte wieder ab.

»Ich denke, wir machen uns auf den Weg.«

Alle waren einverstanden.

Und nachdem man noch verabredet hatte, sich bei der oberen Schloßbrücke treffen und, weil Mondschein sei, den Weg durch die Berge nehmen zu wollen, trennte man sich in Scherz und guter Laune.

Der Heidereiter aber ging erregt in die Stadt zurück, um Hilden und das Kind aus dem Wirtshause abzuholen.

Siebzehntes Kapitel

Wieder auf Ellernklipp

Eine halbe Stunde später hielt alles an verabredeter Stelle. Es waren Wagen und Fußgänger bunt durcheinander, was aber ihre Kameradschaft und ihr Zusammenbleiben nicht störte, da die Wege so schlecht und so steil waren, daß auch die Fuhrwerke nur im Schritt fahren konnten.

Ein Trupp Emmeroder, blutjunges Volk, auch einige Mädchen, eröffnete den Zug, und sie sangen, als sie zwischen den Bäumen hin die Schlucht hinaufzogen:

»Ich kann und mag nicht sitzen,
Mag auch nicht lustig sein,
Mein Herz ist mir betrübet,
Feinslieb von wegen dein …«

Und Hilde mußte des Abends gedenken, wo sie mit Martin das letzte Mal das Lied gesungen hatte. Das waren nun erst drei Jahre; aber ihr war, als läge ein Leben dazwischen.

Am Ilsenstein bog ihr Weg links ab, und man bewegte sich immer langsamer, weil es immer mehr und mehr zu dunkeln begann und überall Baumwurzeln über den Weg gewachsen waren. An vielen Stellen lagen auch Steine querüber, auf die dann die Vorderen aufmerksam machten, wenn es nicht glücken wollte, sie beiseite zu schaffen. Und dann gab es freilich immer noch einen tüchtigen Stoß; aber die Wagen waren doch so fest gebaut – Achsen und Rad aus gutem Harzer Holze –, daß alles glücklich aus der Schlucht heraus und bis an das Hohensteiner Gasthaus kam, wo der Weg, von alter Zeit her, in zwei Richtungen ging und alles Osterodesche nach rechts und alles Emmerodesche nach links mußte.

Baltzer hielt hier und stieg ab, um einen Trunk zu nehmen; als er aber wahrnahm, daß Hilde bang und unruhig wurde und Gesellschaft haben wollte, fuhr er, eh er noch sein Krügel geleert, auf der großen Straße den Emmerodern nach, die schon an tausend Schritte vorauf waren. Er sah denn auch bald das Blitzen ihrer Windlichter wieder, die sie von dem Hohensteiner Gasthaus her mitgenommen hatten, und war – indem er auf dem etwas besser gewordenen Wege die Pferde scharf antraben ließ – eben schon bis dicht an sie heran, als es einen heftigen Ruck gab und Hilde von der einen Seite des Wagens auf die andere geschleudert wurde. Das Rad war gebrochen, und nur mit Anstrengung hatte sie sich, ihr Kind im Arm, an der Lehne des Vordersitzes festgehalten.

Anfangs dachte man, ohne sondere Mühe Rat und Hülfe schaffen zu können; waren doch Hände genug am Platz und auch bereit; als sich aber herausstellte, daß kein Schraubenzieher da war und überhaupt nicht mehr und nicht weniger als alles fehlte, so kam man zu dem Entschlusse, daß der Heidereiter mit Frau und Kind den Rest des Weges zu Fuß machen, ein paar von den Emmeroder Burschen aber einen Baum und einen Strick aus einem abwärts gelegenen Kohlenmeiler herbeischaffen und über lang oder kurz mit dem notdürftig wieder instand gesetzten Gefährt auf der großen Straße nachkommen sollten.

Und so geschah's; und nicht lange, so brach man wieder auf und setzte fröhlich und guter Dinge den Heimweg weiter fort, Hilde mit unter den Vordersten, Bocholt aber im Nachtrab und in allerlei Gespräch mit dem Sägemüller.

Es war ein Gespräch, das ihn mehr als gewöhnlich in Anspruch nahm, und so kam es, daß er einer starken Biegung nicht achtete, die die Vordersten des Zuges inzwischen gemacht hatten. Aber nun endlich sah er's und fuhr zusammen und sagte: »Was soll das? Wohin gehen wir?«

»Upp Ellernklipp to. Is joa dat Nächst. Un groad för Ji, Heidereiter.«

Dem aber war es, als drehe sich ihm alles im Kopf herum, und nur mit Mühe hielt er sich an dem Gebüsche fest, das neben dem Wege hinlief. »Ist *das* ein Tag!« Und dann fing er an zu lachen und waffnete sich mit Trotz, vielleicht in einem Vorgefühl, daß er ihn brauchen werde.

Das Gespräch war inzwischen wieder aufgenommen worden, aber er hörte nicht mehr; er starrte nur noch vorwärts in die zerklüftete Wald- und Bergesmasse hinein, und mitunter, wenn eine offene Stelle kam, war es ihm, als säh er hoch oben den Schattenriß der schrägliegenden Tanne. Ja, die Vordersten mußten schon daran vorüber sein, und er tappte sich langsam und vorsichtig ihnen nach. Und nun waren es keine zehn Schritte mehr, und er blieb stehen und horchte nach der Tiefe hin und sagte zu dem dicht neben ihm gehenden Alten: »Ich glaub, es ruft ... Habt Ihr nichts gehört, Sägemüller?«

»Nei ...«

Baltzer lächelte vor sich hin und wußte nun, was er wissen wollte, daß es eine Sinnestäuschung gewesen und daß es nicht unten in dem Elsbruch, sondern in ihm selber gerufen habe. Dennoch erschrak er bis in seine tiefste Seele hinein, als der Alte, der wieder hinabgehorcht hatte, mit einem Male sagte: »Awers nu, Heidereiter. Joa. Nu hür ick't ... Et röppt.«

Und wirklich, es war, als riefe was. Und als der Heidereiter in eben diesem Augenblicke sich umsah, sah er, daß der Vollmond hinter dem Tannenwald aufstieg. Und er schrie laut auf und sagte, während er seine letzte Kraft zusammenraffte: »Geht nur. Geht immer vorauf. Ich muß sehen, was es gibt. Und sagt meiner Frau, daß ich nachkomme. Geht.«

Und der Sägemüller, dem es unheimlich geworden war, ließ ihn allein und ging in raschem Schritte den anderen nach, die schon, am Außenrande von Kunerts-Kamp hin, wieder abwärts stiegen.

Und an eben diesem Gelände hin zog auch der Vortrupp, die Burschen und Mädchen, die dicht hinter Ellernklipp ihre frühere Weise wieder aufgenommen hatten:

»Er nahm aus seiner Taschen
Ein Messer scharf und spitz …«

Und nun schwieg das Lied und brach ab, denn ein Schuß fiel und hallte durch die Berge wider. Aber es war ja Jagdzeit und Besuch auf dem Schloß, und in einem weinerlichen Tone sangen sie gleichgültig weiter:

»Ach, reicher Gott vom Himmel,
Wie bitter ist mein Tod.«

Auch Hilde hatte den Schuß gehört, ohne sich viel darum zu kümmern, und sang nur leise mit und freute sich; denn das Kind auf ihrem Arme war eingeschlafen und atmete so still und ruhig, als ob es der erste Tag seiner Gesundheit wär. »Ach, wenn es leben bliebe!«

Und so stiegen sie gemeinschaftlich die Berglehne hinunter, und Hilde horchte noch dem Gesange nach, als sie ich vor des Heidereiters Hause von ihrer Begleitung getrennt hatte. Gleich danach aber kam Grissel und nahm das Kind und ließ sich erzählen und war wie gewöhnlich voll guter Lehren und wußte ganz genau, wie's hätte gemacht werden müssen. Auch das mit dem Jagdwagen. Aber mit dem Alten, da sei nichts mehr. Er sei zu eigensinnig und wolle immer mit dem Kopf durch die Wand.

Eine ganze Weile ging so das Geplauder, und beide waren eigentlich froh, den Heidereiter nicht mit dabeizuhaben. Endlich aber wurde Hilde doch stutzig und wunderte sich, daß der Vater noch nicht da sei. Denn sie nannt ihn noch immer so. Grissel aber wollte von Angst und Sorge nichts wissen und sagte nur: »Er hat den Schuß gehört, und da versteht er keinen Spaß und sieht, was es ist. Es fängt ohnedies das Wildern wieder an, weil er's eine Weile hat gehen lassen. Und das verdrießt ihn. Und gib acht, er macht's ein Ende.«

Hilde ließ es gelten. Als aber wieder eine Zeit um war, sagte sie: »Wir müssen ihn suchen gehen. Und sage nicht nein. Und wenn niemand geht, so geh ich selber. So furchtsam ich bin.«

Und all das sagte sie so bestimmt, daß der Grissel auch der Gedanke kam, es könne was passiert sein. Und so ging sie zu Joost in den Stall, um ihn fortzuschicken.

Der machte sich auch auf den Weg, und der jungen Frau wurde wieder freier ums Herz, als sie sah, daß wenigstens etwas geschah. Aber sie hatte doch keine Ruh und ging hin und her und sah den Weg und das Gebüsch hinauf, von wo der Vater jeden Augenblick kommen mußte. Und wenn nicht er, so doch Joost.

Und so war sie schon viele Male auf die Treppe hinausgetreten. Immer vergeblich. Aber jetzt klang es ihr wie Stimmen und war ihr, als ob sie dicht an der Stelle, wo die zwei Silberpappeln standen, einen Schatten und eine Bewegung sähe. Und wirklich, es war so, und über eine lichte Stelle weg, auf die gerade das Mondlicht fiel, erkannte sie vier oder fünf Gestalten. Und es war ihr, als trügen sie was. Und auf einen Schlag stand wieder der Tag vor ihrer Seele, wo sie den Maus-Bugisch auf eben diesem Wege herangeschleppt hatten, und eine furchtbare Angst befiel sie, daß sich ihr das Grauen jenes Tages erneuern könne.

Sie wollte Gewißheit haben, je früher, je besser, und schritt rasch und entschlossen die Stufen hinunter und dem Zug entgegen. Als aber Joost ihrer ansichtig wurde, ließ er halten und winkte, daß sie von der Straße weggehe und wieder ins Haus zurücktrete.

Vergebens! Sie blieb angewurzelt stehen und wartete, bis alles heran war.

Und nun nahm sie die Tannenzweige fort, die die Träger über das Antlitz des Toten gedeckt hatten.

Es war Baltzer Bocholt, der ihr – ein paar Blutstropfen in seinem grauen Bart – ernst und beinahe finster entgegenstarrte.

Achtzehntes Kapitel

Ewig und unwandelbar ist das Gesetz

Wochen waren vergangen.

Ein heller Oktobertag lag über dem Land, die Sonne blitzte hoch im Blauen, und wer ins Tal kam und sein Auge nicht bloß auf den Weg richtete, der freute sich der Berglehnen, die jetzt ganz in Rot standen, und der breiten Wiesenstreifen dazwischen, die nach dem Nebel, der über Nacht gefallen, überall jetzt von Tau glitzerten.

Alles war hell und still, am stillsten aber des Heidereiters Haus, das man bei seinen weit offenstehenden Türen und Fenstern für unbewohnt hätte halten können, wenn nicht das Auffliegen der Tauben und das Gackern der Hühner und dazwischen ein taktmäßiges Schlagen und Klopfen das Gegenteil verraten hätte. Das Schlagen und Klopfen aber rührte von Joost und Grissel her, die die Kissen des hochlehnigen Sofas aus der guten Stube von ihrem Sommerstaube zu reinigen trachteten. Und daneben lagen Leinwandkappen, die für den langen Winter darübergezogen werden sollten – für den langen Winter und vielleicht für länger noch.

Ja, es waren unsere plauderhaften alten Freunde, die sich übrigens heute, solange sie bei dem lauten und lärmenden Teil ihrer Arbeit waren, eines vollkommenen Schweigens befleißigten. Immer aber, wenn wieder eine der Kappen übergezogen wurde, benutzte Grissel den stillen Moment, um das vorher unterbrochene Gespräch an bestimmter Stelle wieder aufzunehmen, ein Gespräch, das sich selbstverständlich um die letzten drei Wochen: um den Tod des Heidereiters und seines noch in derselben Nacht ihm nachgestorbenen Kindes, drehte. Wohl auch um das Gerede der Leute darüber, ja darüber zumeist, und wer von dem Garten oder dem Heckenzaune her ihrem Gespräch hätte folgen können, der hätte bald heraushören müssen, daß es vorzugsweise »die getrennten Grabstellen« waren, was alle Welt in Verwunderung gesetzt hatte. Dem alten Heidereiter nämlich, von dem es in Sörgels Leichenrede geheißen hatte, daß er im Kampf erschossen worden sei, hatte man sein Grab an einer neuen, etwas bergan gelegenen Stelle gegeben, während das Kind innerhalb des Bocholtschen Grabgitters mit den neuvergoldeten Kugelknöpfen, an der Seite der ersten Frau, begraben worden war. Über diese Verwunderlichkeit hatte man im Dorfe, wie sich denken läßt, nicht weggekonnt, und Joost, der immer mit der Mehrheit ging, meinte denn auch genau das, was die Leute meinten, und versicherte: Hilde habe ihn, den Alten, seiner *ersten* nicht gegönnt, und wenn sie nun stürbe, dann käme *sie* neben ihn … Und das Kind, das kleine, kranke Wurm, na, du mein Gott, das hätte sie so hingelegt, wo's sei, da oder da, und hätte doch auch so tun müssen, als ob alles in Richtigkeit und ein Herz und eine Seele wäre. Versteht sich. Und nichts von Eifersucht oder so.

Dies war unzweifelhaft eine von Joosts längsten Auseinandersetzungen, und als er fertig war und sich selber anstaunte, so lange gesprochen zu haben, stieß ihn Grissel mit dem Ausklopfer vor die Brust und sagte: »Bist un bliewst en Schoap un redst allens nah. 't is joa dumm Tüg. Geih doch hen un kuck di dat Gitter an. Doa wihr joa keen Platz mihr in, för 'n utwass'nen Minschen 'wiß nich, un sülwst uns' lütt Worm hebben s' ook man eben noch intwängt.«

»Joa, awers worüm? Doa wihr joa Platz noog bien Ollen. He is joa de ihrst, de doa liggen deiht. Un worüm liggen se nich tosoam, de Oll un de Lütt?«

Grissel schüttelte den Kopf, um auszudrücken, daß er noch dümmer wär, als sie gedacht, und sagte dann: »Ick weet nich, Joost, bist nu so lang all in 't Huus un weetst nich, dat se ümmer 'n Grul för em hett. Ick will nich groadto seggen, se freugt sich, dat he dod is. Ne, so wat will ick nich seggen. Un ick weet et ook nich. Awers dat weet ick, et paßt ehr, dat he so'n beten aff liggt un dat se nich ümmer an em vorbi möt, wenn se dat Lütt besooken will. Gott, lütt wihr et joa man un ümmer Wehdoag. Awers et wihr doch allens, wat se hett. Un is ook hüt noch allens, wat se hett. Un jeden Dag sitt se joa doa und kuckt un weent.«

»Joa, joa, dat deiht se«, bekräftigte Joost, der schon wieder anfing, umgestimmt zu werden.

»Un sien ihrste Fru«, fuhr Grissel fort, die der Unterbrechung nicht achtete, »dat weet se woll, *de* deiht ehr nich veel. Und *dorüm* hebben se dat lütte Worm in dat smoale Gitter mit intwängt. Awers wenn dat lütte Graff mit Ol-Baltzern sien in *eens* wihr o'r ook man dichte bi, denn hett se joa den Olschen ümmer mit vor Oogen hett. Un dat wull se nich.«

Und nun begann das Klopfen wieder. Aber Joost wollte noch mehr hören und hielt nach ein paar Schlägen wieder an und sagte: »Un wat meenste, Grissel? Ob se woll wedder friegt?«

»Friegt? Versteiht sich, friegt se. Wat wahrd se nich wedder friegen? Hett joa nich Kinn un nich Kaaks. Un keen Anhang nich. Un dat hübsche Huus dato. Un kann ook nich ümmer sitten un ween'n. Dat is nu man so förihrst. Awers dat giwt sich. Un denn moakt se wedder de Oogen upp un to, groad as ne Klapp, un wutsch is wedder een in.«

Joost sah Grissel dummpfiffig an und sagte: »Joa, joa, dat sall woll sinn. Awers se seggen joa: de tweet leewt nich lang un hett ümmer siene Noot.«

»De *tweet*? Joa, dat 's recht:

De *tweet* hat ümmer siene Noot,
Is hüte rot un morgen doot,
Awers de *dritt* is wedder goot!«

»De *dritt*? Ihrst kümmt doch de tweet. Se hett doch ihrst een', un uns' Ol-Baltzer wihr doch de ihrst.«

»Na, na«, lachte Grissel, »ick weet nich. Tweet o'r dritt. Un ick denk, et is de *dritt*, de nu kümmt.«

Es kam niemand des Weges, und noch weniger horchte wer vom Gatter oder Heckenzaun her, und doch hätte gerade sie, von der die Rede war, aus dem öfteren Hinüberzeigen nach dem Kirchhof und aus allerhand anderen Handbewegungen einen Teil des Gespräches unschwer erraten können, denn sie kam eben vom Schloß her und passierte die Lichtung, von der aus man, wie das ganze Tal, so vor allem auch das Heidereiterhaus übersah. Aber Hilde, trotzdem sie Joost und Grissel in aller Deutlichkeit erkannte, war in ihrem Gemüt weit ab von der Frage: »Wovon sprechen sie?« und viel mehr noch von der ängstlichen Erwägung: »Sprechen sie vielleicht von *dir*?« In ihr klangen noch die Trostesworte nach, die, seitens der alten Gräfin oben, eben an sie gerichtet worden waren, und dem Eindruck davon mit ganzer Seele hingegeben, sah sie zwar alles um sich her, aber ohne sich irgend etwas davon zum Bewußtsein zu bringen. Am Kirchhofe vorüber, über den sie nur einen Augenblick lang ihr Auge gleiten ließ, eilte sie – trotzdem ihr Eile nicht frommte; denn ihre Tage waren lang – auf das Haus zu, darin sie verwaist vor Jahren eingetreten und darin sie nun wieder eine Waise war. Auch eine Witwe. Aber das empfand sie nicht. Sie war in ihrem Gemüt nur eine Waise. Nichts erfreute sie mehr, und in stillem Lebensüberdruß hing sie Bildern nach, die nicht mehr, wie früher, in *vor* ihr ausgebreiteter Ferne, sondern nur noch rückwärts in ihrer Vergangenheit lagen. Ihr Leben war ein Sinnen und Brüten, eine krankhafte Pflege der Einsamkeit geworden, und selbst ihre Freunde, sowohl der drüben in der Pfarre wie der oben auf den Sieben-Morgen, mißfielen ihr oder versagten ihr doch in der Erfassung und freudigen Umklammerung dessen, was ihre Seele mit immer größerer Lust ersehnte: Friede, Schauen und Versöhnung. An immer erneuten Versuchen, im Gespräche mit ihnen wie ehemals Trost und Erhebung zu finden, hatte sie's anfänglich nicht fehlen lassen, aber aller Wohlmeinendheit der beiden Alten ungeachtet, war sie mit diesen Versuchen an jedem Tage mehr gescheitert: bei Sörgel, weil er für alles ein und dasselbe Wort zu haben anfing, bei Melcher Harms, weil er seiner Konventiklernatur nach am liebsten in Andeutungen und rätselvollen Sätzen sprach und in Momenten, wo sie dringender, fordernder und leidenschaftlicher wurde, ihr Mal auf Mal nur von Demut und Unterwerfung predigte. Denn er war strenger geworden und wiederholte mit Vorliebe seinen Spruch von der Ewigkeit und Unwandelbarkeit des Gesetzes. Ach, sie demütigte sich und unterwarf sich auch, aber eben deshalb, weil sie Demut und Unterwerfung übte, wußte sie von sich selbst, daß es *nicht* die Staffeln zur Himmelsleiter waren. Oder wenigstens nicht für *sie*. Das Kreuztragen – und *nur* das und immer wieder – drückte sie dem Staube zu; was *ihr* helfen konnte, war allein der Blick nach oben und der Hinweis auf Freiheit, Weite, Licht.

In dieser Not und Armut hätte sie verkommen müssen, wenn nicht die Gräfin gewesen wäre. *Die* hatte seit dem Tage, wo Hilde das erste Mal oben auf dem Schlosse gewesen, eine Liebe für sie gefaßt, und allwöchentlich schickte sie nach ihr, um eine Plauderstunde mit ihr zu haben. Und da wußte sie so vertraulich zu sprechen und so liebevoll zu fragen, daß Hilde jede Scheu vor ihr verlor und ihr alles sagte, was in ihrem Herzen war: Gutes und Schlechtes, Furcht und Hoffnung. Und die Aufrichtigkeit dieser Beichte rührte der Gräfin Herz, und wenn Hilde sie verlassen hatte, sah sie der langsam in den Talweg Niedersteigenden nach und sagte: »So sind die Wege Gottes. Eine Trübsal brachte dies Kind in unser Haus. Und nun ist es mein Glück und meiner Tage Licht.«

Unter solchen Besuchen kam Weihnachten heran, und auf dem Schlosse war Bescherung, zu der auch Hilde geladen war. Und siehe da, noch eh es dunkelte, stieg sie den Schlängelweg zwischen den kahlen, aber dicht bereiften Bäumen hinauf und trat in die kleine gotische Vorhalle, darin alle Gäste, während die Gräfin den Aufbau leitete, bereits versammelt waren. Und nicht lange, so wurde das Zeichen gegeben, die Türen öffneten sich, und in langem Zuge ging es in den hohen und auf granitnen Pfeilern ruhenden Saal, der einen wundervollen Anblick bot. Inmitten desselben erhob sich ein mächtiger, aber dunkler und nur mit goldenen und silbernen Nüssen überdeckter Weihnachtsbaum, eine mehr als zehn Fuß hohe Tanne, während alles Licht, das den Saal füllte, von einer Krippe herkam, die mitsamt dem weißgedeckten Bescherungstisch, auf dem sie stand, in die Front der hohen Balkontür gerückt worden war. Unmittelbar darüber aber sah man in halbem Dämmer die Wolken ziehen.

Unter den Gästen waren wieder einige der jungen Offiziere, die damals auf dem Balkon gesessen und die Melcher Harmsschen Bemerkungen über Hilde mit allerlei kleinen und großen Bosheiten begleitet hatten. Auch heute versäumten sie nicht, an einem so dankbaren Thema sich neu zu divertieren, und musterten aus einer verdeckten Aufstellung her, die sie genommen, die junge Frau, die sich ihrerseits anspruchslos zurückhielt, aber keine Spur von Verlegenheit zeigte.

»Die Trauer kleidet ihr«, sagte der eine.

»Trauer kleidet immer. Und die hübscheste Braut verblaßt vor einer hübschen Witwe. Woran es nur liegt?«

»Eben an der Trauer. Es ist das doppelt Verbotene … ›Himmlische Liebe‹, prophezeite der alte Schäfer damals. Ob er wohl recht behält?«

»Ich glaube fast. Sie sähe sonst verlegener aus.«

Unter Scherzen und Wendungen wie diese ging das Gespräch, eine halbe Stunde später aber war alles still geworden. In dem Kamin fielen die Scheite zusammen, und Hilde, die wohl wußte, daß die Gräfin ihr gern zuhörte, plauderte von ihrem ersten Weihnachtsabend in des Heidereiters Haus und von der Krippe, die Martin ihr damals aufgebaut habe. Und wie glücklich und wie benommen sie gewesen sei, denn sie habe den Lobgesang der Engel mit leibhaftigem Ohre zu hören geglaubt.

Und als sie so sprach, loschen die Lichter aus, und es dunkelte durch den Saal.

Aber in demselben Augenblicke fast zerstreute sich draußen das Gewölk, das in endlos langem Zuge vorübergezogen war, und im tiefen Blau des Himmels erschien ein Stern und sandte sein friedlich Licht auf die Stelle, wo die beiden standen.

»*Unser* Stern«, sagte die Gräfin und wies hinauf.

Und von Stund an wandelte sich Hildens Herz; alle Schwermut fiel von ihr ab, und die Freude, soviel sie davon jemals besessen hatte, blühte wieder in ihr auf. Eine Sehnsucht freilich blieb ihr; aber diese Sehnsucht beschwerte nicht mehr ihren Sinn, sondern hob ihn empor, und sie, die müd und matt gewesen war ihr Leben lang, sie wurde jetzt stark und frisch und froh, und ein tiefes Verlangen erfaßte sie, zu tun und zu schaffen, zu helfen und zu heilen. Und in werktätiger Liebe begründete sie zum zweiten Mal ihr Haus.

All das erlebte Sörgel noch. Aber die rechte Schaffenslust erwuchs ihr doch erst, als der Alte zu seinen Vätern versammelt und statt seiner ein »Frommer« in die Pfarre gekommen war, der, trotzdem er Borstelkamm hieß und zu den Strenggläubigsten zählte, doch zugleich in solcher Freudigkeit und Milde des Glaubens stand, daß er selbst Grissel entwaffnet und zu der Anerkennung hingerissen hatte: »Hür, Joost, *de* versteiht et. De is Sörgel un Melcher all in een.«

An ihn schloß sie sich in einer mit jedem Tage wachsenden Hingebung und Begeisterung an, und von ihm auch war es, daß sie den Zusammenhang alles Geschehenen in Erfahrung brachte: *wie* der Heidereiter gestorben und vielleicht auch um *was*. Und als er geschlossen hatte, war sie wohl erschüttert gewesen, aber doch nicht niedergeworfen, denn ihr ahnendes Gemüt hatte längst davon gewußt, auch ohne Gewißheit zu haben.

Und so war es auch nicht infolge dieser Aufschlüsse, daß sie noch in demselben Frühsommer starb. Ihr neues Leben, das nur Arbeit und Opfer und eine schließlich bis zur Leidenschaft gesteigerte Wonne der Entsagung gekannt, hatte sie wohl auf kurze Zeit hin in anscheinender Frische wieder aufblühen lassen, aber diese Frische war eine Täuschung gewesen. Ein Fieber kam, das ihre Kräfte rasch wegzehrte, rascher noch, als irgendwer geglaubt, sie selber ausgenommen; und als Grissel auch den letzten Tag noch mit einem versteckten »Reißen« zu trösten suchte, lächelte sie nur und sagte: »Laß. Ich weiß alles ... Und ich sterbe gern.«

Das war ihr Abschiedswort gewesen.

Über ihr Begräbnis aber hatte sie längst vorher Festsetzungen getroffen, und sie begruben sie neben der ersten Frau, deren Grabstelle schon vorher erweitert worden war, so daß das Kind jetzt zwischen ihnen lag. Und gaben ihr einen Stein, darauf stand, wie sie's dem neuen Geistlichen ans Herz gelegt hatte, *kein* Name, »weil sie von Geburt an keinen gehabt und den ›anderen‹ nicht wolle«. Statt dessen aber wurde der Spruch eingegraben: »Ewig und unwandelbar ist das Gesetz!« Umsonst, daß sie gebeten worden war, einen hoffnungsreicheren und christlicheren Spruch, einen Spruch von der Gnade und Liebe Gottes wählen zu wollen – mit einem Eigensinne, der ihr sonst fremd war, hatte sie darauf bestanden, unter immer erneuter Betonung, daß sie persönlich die Liebe Gottes erfahren und seiner Gnade sicher sei, der Spruch auf ihrem Grab aber zu den Überlebenden sprechen und diesen eine Mahnung sein solle. Hinzukommen mochte, daß sie damit eine Schuld an den alten Melcher Harms abzutragen gedachte, dem sie zuletzt völlig entfremdet worden war und dem sie sich nichtsdestoweniger, all seiner Selbstgerechtigkeit ungeachtet, für dieses und jenes Leben verpflichtet fühlte.

Ihr Begräbnis war ein großes Ereignis, wie's einst ihre Hochzeit gewesen war, und am selben Tage noch trug der Geistliche die Daten ihres Lebens und Sterbens in das Kirchenbuch ein.

Da stehen sie, mahnend wie der Spruch auf ihrem Grabe.

Aber beides überdauernd, ragt über Diegels Mühle die weiße Felswand auf und auf ihrer Höhe die weit vorgebeugte Tanne von *Ellernklipp*.

Anhang

Der Stoff

Im Ilsenburger Kirchenbuch von 1752 findet sich folgende Eintragung: »Gestorben 1752. Den 28. Juni morgens gegen 1 Uhr ist Johann Michael Bäumler, ein Jägerbursche, durch mordrische Hand seines Vaters erstochen, woran er bald darauf verschieden und den 29. nach vorhergegangener Anatomie in der Stille beigesetzt, sein Alter ist 19 Jahr.« Der mündlichen Überlieferung nach verbarg sich der Mörder unter einer Klippe am Meineberg und beobachtete von dort aus die Beerdigung. Das Glockengeläut weckte sein Schuldgefühl, und um der peinigenden Qual ein Ende zu bereiten, stürzte er sich von der Klippe herunter. Sie trägt seitdem den Namen Bäumlers-Klippe. (»Sagen um Ilsenburg«, bearbeitet von R. Hoth, herausgegeben vom Hüttenmuseum Ilsenburg, 1967.)

Fontane verdankt diese Geschichte seiner Nichte Anna von Below. In einem Notizbuch, das er während seines Erholungsaufenthaltes in Wernigerode im August 1878 anlegte (Fontane-Archiv, E 4, S. 7), finden wir die Eintragung:

2. Anna v. Below
   a. Inschrift des Krolaschen Siechenhauses.
   b. Die »Mordgeschichte«, die Anna an Mete auf dem Ilsenstein erzählt hat.

Wahrscheinlich hat sich Fontane die »Mordgeschichte«, von der er durch seine Tochter wußte, noch einmal von Anna von Below erzählen lassen, denn diese gab Wolfgang Rost später die Auskunft, daß sie Fontane die Geschichte auf dem Weg über die Bäumlers-Klippe mitgeteilt und daß er danach auch das Kirchenbuch eingesehen habe (Wolfgang Rost, »Örtlichkeit und Schauplatz in Fontanes Werken«, Berlin und Leipzig 1931, S. 107). Aus welchen Quellen – mündlichen und schriftlichen – Fontane außerdem noch geschöpft hat, ist nicht mehr festzustellen.

Die Szenerie der Geschichte kannte der Autor von seinen Sommeraufenthalten in Wernigerode und seinen Besuchen in Ilsenburg. Als Hauptschauplatz wählte er Wernigerode, das in der Erzählung Emmerode genannt wird. Wolfgang Rost hat in seinem Buch die »balladenhafte Formung der Örtlichkeit« dargestellt.

Das Notizbuch enthält auch die ersten Vorarbeiten für die Erzählung: Skizzen vom Ilsenburger Schloß, eine Aufzählung der Wald- und Wiesenblumen, die im August im Friedrikental blühen, eine Beschreibung der Graumannschen Wassermühle im Mühlental bei Wernigerode, Skizzen der St.-Georgs-Kapelle in Wernigerode und einen Entwurf für das 3. Kapitel.

Fontane hat nicht nur in leicht veränderter Form Flur- und Landschaftsnamen aus der Umgebung Wernigerodes verwandt, Schloß, Kirche und Försterei nachgezeichnet, er hat auch in seiner Schilderung des kirchlichen Lebens aus der Wernigeröder Geschichte des 18. Jahrhunderts geschöpft. Das Herrnhutertum der Gräfin hat seine historische Entsprechung im Pietismus des Grafen Christian Ernst von Stolberg-Wernigerode (1691-1771) und dessen Frau Sophie Charlotte, die ihre Residenz zu einem Zentrum der neuen religiösen Bewegung gemacht hatten.

Die Sage von Herzog Heinrich, die Melcher Harms Hilde erzählt (8. Kapitel), fand Fontane in Heinrich Pröhles »Deutschen Sagen«. Am 26. September 1879 schrieb der Dichter dem Berliner Sagensammler: »Während ich mit der 1. Auflage Ihrer ›Sagen‹ in Dresden saß – ich arbeite an einer Harzer Novelle und hatte mich deshalb mit Ihrem Buche, das bis etwa No. 30 harzisch ist, bewaffnet –, haben Sie freundlicherweise die 2. Auflage bei mir abgegeben. Besten Dank. Ich werde in der ›Vossin‹ darüber schreiben und nicht allzu kurz. Inhaltlich dürfen Sie aber nichts erwarten; ich versteh ja nichts davon und habe nur das poetische Interesse.«

Entstehung

Am 19. November 1878 schrieb Fontane an Eduard Hallberger, den Herausgeber der Zeitschrift »Über Land und Meer«: »Das nächste Jahr, so mir nicht ein Strich durch die Rechnung gemacht wird, soll der Novelle gehören; eine (für Lindau) ist fertig, drei andre sind skizziert; ich werde mich freuen, Ihnen eine davon später vorlegen zu dürfen.« Diese »drei Skizzen« waren: »Schach von Wuthenow«, »L'Adultera« und »Ellernklipp«. Im Herbst 1879 begann Fontane mit der Niederschrift von »Ellernklipp«. In einem Dresdner Gasthof entstand das »erste, wichtige – weil *ton*angebende und ziemlich lange Kapitel« (an seine Frau, 24. September 1879). »Ausgangs November« ist die Erzählung »im Brouillon« beendet (Tagebuch). In einem Brief vom 14. März 1880 bot Fontane dem Redakteur der Westermannschen Monatshefte, Gustav Karpeles, »Schach von Wuthenow« und »Ellernklipp« zum Vorabdruck an. Seine Inhaltsangabe für »Ellernklipp« lautete: »Nach Aufzeichnungen eines Harzer Kirchenbuches. Spielt unmittelbar nach dem Siebenjährigen Kriege in einem Harzdorf. Eifersucht des Vaters gegen den Sohn. Der Sohn fällt als Opfer, bis zuletzt auch der Alte den Visionen seiner Schuld erliegt. Hauptfigur: ein angenommenes Kind, schön, liebenswürdig, poetisch-apathisch, an dem ich beflissen gewesen bin die dämonisch-unwiderstehliche Macht des Illegitimen und Languissanten zu zeigen. Sie tut nichts, am wenigsten etwas Böses, und doch verwirrt sie regelrechte Verhältnisse. Sie selbst, ohne den Grundton ihres Wesens zu ändern, verklärt sich und überlebt das Wirrsal, das sie gestiftet.«

Karpeles entschied sich für die Novelle nach dem »Harzer Kirchenbuch«, und Fontane schrieb ihm daraufhin am 21. März 1880: »Ich glaube, daß Sie richtig gewählt haben, oder sag ich bescheidener ›von zwei Übeln das kleinere‹. Das kürzere gewiß. Die andre Novelle liegt zur Hälfte nach der kulturhistorischen Seite hin. – Ein paar Punkte muß ich aber doch vorher noch zur Sprache bringen, damit, wenn das Schiff vom Stapel soll, nicht plötzlich Hindernisse kommen. – Die Novelle ist etwa vier Bogen lang, eher ein paar Seiten weniger. Ich erbitte dafür, um nach dieser Seite hin keine Schwierigkeiten zu schaffen, vierhundert Taler. Empfange auch den Abzug des Ganzen, in welcher Gestalt ich es später (aber es pressiert nicht) als Buch herausgebe. Macht das Arrangement der Nummer Kürzungen nötig, so laß ich sie mir bis zur Reduzierung auf drei und einen halben Bogen gefallen. Ich bin darin gar nicht peinlich. Bliebe noch der Ablieferungstermin. Ich bin, dies darf man sagen, ein sehr fleißiger Mann, sehne mich beständig nach neuen Arbeiten und werde deshalb an etwas im wesentlichen Fertigen nicht länger herumbasteln, als nötig ist. Dennoch weiß ich aus Erfahrung, daß das Korrigieren viel, viel länger dauert als das Schreiben. Hab es erst eben wieder bei der für ›Nord und Süd‹ bestimmten Arbeit [»L'Adultera«] gesehn. Ich kann danach nur sagen: ich werde mich aufs äußerste beeifern, bis Ende Mai fertig zu sein; aber bestimmt versprechen kann ich es nicht.«

Die Korrektur der ersten Niederschrift zog sich bis Juni hin. »›Ellernklipp‹ liegt in verschiedenen Kapiteln links und rechts auf meinem Tisch«, teilte Fontane Karpeles am 3. Juni 1880 mit. »Ich bin sehr fleißig dabei, komme aber nur langsam von der Stelle, da sich das Theater in Gastspielen überschlägt ... Ich bin dann aber entschlossen, bei meiner Rückkehr [aus Ostfriesland] bestens nachzuexerzieren *und nicht eher in den Harz zu gehn, als bis ich die Novelle an Sie abgeliefert habe.*« Fontane fuhr Anfang August nach Wernigerode, ohne die Novelle abgeliefert zu haben, und befürchtete, daß durch die verspätete Abgabe des Manuskripts der Vorabdruck gar nicht zustande käme. Er wartete deshalb die Zustimmung von Karpeles für einen späteren Abgabetermin ab, ehe er die Korrektur fortsetzte. »Schreibt er ›nein‹, was ich sehr gut für möglich halte, so mag die Novelle lagern. Es wird sich schließlich schon wer finden« (an seine Frau, 8. August 1880). Offenbar nahm Karpeles keinen Anstoß an der Verzögerung; in einem Brief aus Wernigerode vom 12. August 1880 meldete Fontane seiner Frau die Wiederaufnahme der Korrektur: »Ich habe heute mit ›Ellernklipp‹ angefangen; es geht langsam, aber ich will es nicht übertreiben, weil ich sonst ganz herunterkomme.«

Am 18. August 1880 erbat er erneut »zehn bis zwölf Tage« Aufschub bei Karpeles: »Es hapert mitunter mehr, als man, in Hoffnungsduselei, annehmen zu müssen glaubte. Volle acht Tage habe ich gebraucht, um das in Abschrift vor mir liegende erste Kapitel in Ordnung zu bringen. Und ein paar Stellen genügen mir auch *jetzt* noch nicht und müssen, nach erneuter Abschrift, wieder unter die Feile. – Nun müssen Sie aber nicht fürchten, daß das so weitergeht. Das erste Kapitel ist immer die Hauptsache und in dem ersten Kapitel die erste Seite, beinah die erste Zeile. ... Bei richtigem Aufbau muß in der ersten Seite der Keim des Ganzen stecken. Daher diese Sorge, diese Pusselei. Das Folgende kann mir nicht gleiche Schwierigkeiten machen, und so denk ich, ich verspreche nicht zuviel, wenn ich sage: ›Ich werd es am 31. d. M. eingeschrieben zur Post geben.‹« Am 31. August arbeitete Fontane noch immer an der »Durchsicht« der Abschrift; am gleichen Tage schrieb er an Wilhelm Hertz: »... solche Durchsicht (allerdings immer die Hauptsache; *das*, wodurch man sich von Riffraff unterscheidet) ist jedesmal eine Höllenarbeit, viel, viel schwerer und anstrengender als das erste Niederschreiben, was eigentlich ein Vergnügen ist.«

Acht Tage später ist dann das Manuskript an die Redaktion der Westermannschen Monatshefte abgeschickt worden. Die Novelle lagerte nun in Braunschweig, und erst am 27. Februar 1881 erhielt Fontane Korrekturbogen. Er beschränkte sich nicht darauf, den gesetzten Text auf Druckfehler durchzusehen, sondern nahm noch zahlreiche stilistische Änderungen vor. Im Tagebuch heißt es: »2. März. Den ganzen Tag, bis nach 11 Uhr abends, an der Korrektur von ›Ellernklipp‹ gearbeitet. Große Anstrengung.« Die Änderungen, die Redakteur und Korrektor eigenmächtig vorgenommen hatten, bestimmten Fontane zu prinzipiellen Erörterungen. »Ich schreibe heut, um einen Seufzer auszustoßen über die ›Verbesserungen‹, denen ich ausgesetzt gewesen bin. Ich hoffe, daß wir für die Zukunft, zunächst also für die zweite Hälfte der Novelle, den berühmten Modus vivendi finden werden. Ich opfre Ihnen meine ›Punktums‹, aber meine ›Unds‹, wo sie massenhaft auftreten, müssen Sie mir lassen. Ich begreife, daß einem himmelangst dabei werden kann, und doch müssen sie bleiben, nach dem alten Satz: von zwei Übeln wähle das kleinere. – Warum müssen sie bleiben? Es stört, es verdrießt usw. Und doch! Ich bilde mir nämlich ein, unter uns gesagt, ein Stilist zu sein, nicht einer von den unerträglichen Glattschreibern, die für alles nur *einen* Ton und *eine* Form haben, sondern ein wirklicher. Das heißt also ein Schriftsteller, der den Dingen nicht seinen altüberkommenen Marlitt- oder Gartenlaubenstil aufzwängt, sondern umgekehrt einer, der immer wechselnd seinen Stil aus der Sache nimmt, die er behandelt. Und so kommt es denn, daß ich Sätze schreibe, die vierzehn Zeilen lang sind, und dann wieder andre, die noch lange nicht vierzehn Silben, oft nur vierzehn Buchstaben aufweisen. Und so ist es auch mit den ›Unds‹. Wollt ich alles auf den Undstil stellen, so müßt ich als gemeingefährlich eingesperrt werden. Ich schreibe aber Mit-Und-Novellen und Ohne-Und-Novellen, immer in Anbequemung und Rücksicht auf den Stoff. Je moderner, desto und-loser. Je schlichter, je mehr sancta simplicitas, desto mehr ›und‹. ›Und‹ ist biblisch-patriarchalisch und überall da, wo nach dieser Seite hin liegende Wirkungen erzielt werden sollen, gar nicht zu entbehren. Im Einzelfall – dies gesteh ich gern zu – kann es an der unrechten Stelle stehn, aber dann muß der ganze Satz anders gebildet werden. Durch bloßes Weglassen ist nicht zu helfen. Im Gegenteil. Ich habe die Hoffnung, daß Sie diesem allen ein freundliches Gehör schenken« (an Karpeles, 3. März 1881). In einem Brief an den Verlag vom 11. März 1881 sprach Fontane noch einmal »die ganz ergebenste Bitte« aus, »beim Absetzen bzw. Korrigieren der zweiten Hälfte der Novelle« das Manuskript, »auch in dem, was sonderbar und vielleicht selbst störend erscheinen mag, entgegenkommender behandelt zu sehn«.

Doch nicht nur die Behandlung des Manuskripts bot Anlaß zur Klage. Auch die Behandlung des Autors als Geschäftspartner ließ zu wünschen übrig. Im Tagebuch von 1881 heißt es: »8. Juni 1881. Westermann schickt Geld, hat aber bloß die Zeilen gezählt, wodurch ein Ausfall von 36 Mark entsteht. Es gibt nichts Ruppigeres als reiche Buchhändler. ... wer von einer Novelle die Kapitel-Überschriften wegschneidet und ebenso den Titel- und Überschrifts-Raum der ganzen Erzählung *sich* anrechnet, statt ihn dem Schriftsteller zugute kommen zu lassen, kurzum, wer kleinlich und dürftig über mehr als 4 Bogen hin die einzelnen Zeilen zusammenzählt und *diese* zusammenrechnet, statt den verbrauchten Gesamtraum in Rechnung zu stellen – wer das tut, mag ein Ehrenmann sein, aber ein Ruppsack ist er. Glücklicherweise gibt es so viele niederträchtige und grundgemeine Schriftsteller, daß für Rache einigermaßen gesorgt ist.«

»Ellernklipp« erschien zuerst in »Westermanns Illustrierten Deutschen Monatsheften«, Mai und Juni 1881, vierte Folge, Band 6.

Am 11. Juni 1881 teilte Fontane Karpeles mit: »Ich möchte ›Ellernklipp‹ zu gleich minimaler Erhöhung meines Ruhms und meiner Kassenbestände gern zu Weihnachten erscheinen lassen. Ist es nötig, dazu noch erst die Erlaubnis bei Westermanns einzuholen?« Offenbar war das nicht nötig bzw. nur eine Formsache, denn bereits am 16. Juni korrespondierte Fontane mit seinem Verleger Wilhelm Hertz über den Vertrag für die Buchausgabe. »In dem Vertrage finde ich die Worte, ›in von Hertz zu bestimmender Ausstattung‹ – ich darf dies doch so auslegen, ›in derselben Gestalt oder wenigstens in keiner dahinter zurückbleibenden wie „Grete Minde“‹. Ihr Briefzusatz ›Druck in Weimar‹ scheint mir darauf hinzudeuten.«

Als Manuskript für die Buchausgabe diente der Vorabdruck, den Fontane während seines Aufenthaltes in Thale (Juni 1881) nochmals durchsah. Er beseitigte die Änderungen, die Redakteur und Korrektor eigenmächtig vorgenommen hatten, und bat Karpeles (16. Juni 1881) um den »Bogen« mit den Kapitelüberschriften, die er »wiederherstellen« wollte. Am 23. Juni erhielt er die gewünschte Liste und schickte sie an Hertz mit der Bemerkung: »Ich bin immer, auch im Leben, für Ruhepunkte; Parks ohne Bänke können mir gestohlen werden« (24. Juni 1881). Den größten Teil der stilistischen Änderungen scheint Fontane erst bei der Bogenkorrektur der Buchausgabe vorgenommen zu haben. Im Tagebuch notierte er in der zusammenfassenden Betrachtung von Sommer und Herbst 1881: »Inzwischen hatte der Druck von ›Ellernklipp‹ begonnen. Das gab denn ein beständiges Umarbeiten und Korrigieren, was über drei Monate, bis Ende Oktober, gedauert hat.«

Am 21. Oktober 1881 erhielt der Dichter die ersten Exemplare der Buchausgabe. »Schönsten Dank für die Exemplare, die mir Ihre Güte hat zugehen lassen«, schrieb er am gleichen Tage an Wilhelm Hertz. »Ich denke mir, daß es der erste Vogel ist, der aus der Wieder-Behrenstraße [der Verlag war wieder in die Behrenstraße gezogen] auf- und ausfliegt, und erfüllt mich dabei der Wunsch, daß es ein Glücksvogel sein möge. Ein Glücksvogel für alle Zukunft und ganz ins Allgemeine hinein, denn der Gedanke, mit diesem ›Ellernklipp‹ in die Reihe der Erfolg-Helden allerpersönlichst eingereiht zu werden, liegt mir sonnenfern. Ich bin zufrieden, wenn sich's weiterläppert.« Eine zweite Auflage erschien erst nach Fontanes Tod, 1899.

Unserem Text liegt die erste Buchausgabe zugrunde.

Anita Golz

AtV

Band 5252

Theodor Fontane
Wanderungen durch die Mark Brandenburg

Zweiter Teil

Das Oderland

Barnim-Lebus

Herausgegeben von
Gotthard Erler und Rudolf Mingau

687 Seiten
19,90 DM
ISBN 3-7466-5252-9

Die gute Aufnahme des ersten »Wanderungen«-Bandes ermunterte Autor wie Verleger zur Fortsetzung des Unternehmens. Bei Gelegenheit einer zustimmenden Kritik bekannte Fontane: »Die zwei Bände, die bis jetzt erschienen sind, lassen das, worauf es mir ankommt, erst erraten: die Belebung des Lokalen, die Poetisierung des Geschehenen … Erst der *Abschluß* meiner allerdings auf weithin angelegten Arbeit wird klar zeigen, worauf es mir ankam: nicht Verherrlichung des einzelnen, sondern Liebesweckung für das Ganze.«

AtV

Band 5253 Theodor Fontane

Wanderungen durch die Mark Brandenburg

Dritter Teil

Havelland

Die Landschaft um
Spandau, Potsdam, Brandenburg

Herausgegeben von
Gotthard Erler und Rudolf Mingau

670 Seiten
19,90 DM
ISBN 3-7466-5253-7

Unmittelbar nach Abschluß des »Oderland«-Buches begann Fontane mit der Arbeit an einem neuen Band. Zur Vorbereitung seiner Mai-Wanderungen beschäftigte er sich in den Wintermonaten 1863/64 mit den Klöstern Lehnin und Chorin und studierte havelländische Familien-Geschichten. Zur Einstimmung in die Lektüre empfahl Fontane seinem Verleger das »Marquardt«-Kapitel, »da haben Sie alle Züge des Buches vereinigt: Schloß-, Park- und Landschaftsbeschreibung, Historisches, Anekdotisches, Familienkram und Spukgeschichte.«

AtV

Band 5254

Theodor Fontane
Wanderungen durch die Mark Brandenburg

Vierter Teil

Spreeland

Beeskow-Storkow
und Barnim-Teltow

Herausgegeben von
Gotthard Erler und Rudolf Mingau

671 Seiten
19,90 DM
ISBN 3-7466-5254-5

Zweiundzwanzig Jahre umfaßte die Entstehungsgeschichte des abschließenden Vierten Teils der »Wanderungen«, stammte doch die Hälfte der Texte noch aus den Anfangsjahren des Projekts. Neben der Redaktion der alten Aufsätze sammelte Fontane Material für die neuen Kapitel und ging noch einmal auf Reisen, so zum Scharmützelsee und nach Gröben und Siethen. Abschließend wünschte er sich, »daß das Lesen dieser Dinge dem Leser wenigstens einen Teil der Freude bereiten möge, den mir das Einsammeln seinerzeit gewährte«.

AtV

Band 5255

Theodor Fontane
Wanderungen durch die Mark Brandenburg

Fünf Schlösser

Altes und Neues
aus Mark Brandenburg

Herausgegeben von
Gotthard Erler und Rudolf Mingau
unter Mitarbeit von Therese Erler

639 Seiten
18,90 DM
ISBN 3-7466-5255-3

Auf der Grundlage älterer Arbeiten über die Herrensitze Hoppenrade, Liebenberg und Plaue entstand Anfang der achtziger Jahre der Plan, einen gesonderten Band mit historischen Aufsätzen herauszugeben. Ergänzt um die Kapitel Quitzöwel und Dreilinden, erschien die Ausgabe 1889 und war von Fontane einerseits als Fortsetzung der »Wanderungen«, andererseits als etwas Neues und Selbständiges gedacht.

AtV

Band 5256

Theodor Fontane
Wanderungen durch die Mark Brandenburg

Dörfer und Flecken im Lande Ruppin

Unbekannte und vergessene Geschichten aus der Mark Brandenburg I

Herausgegeben von Gotthard Erler unter Mitarbeit von Therese Erler

748 Seiten
19,90 DM
ISBN 3-7466-5256-1

Die Bände 6 und 7 der »Wanderungen« gibt es nur in der von Gotthard Erler herausgegebenen Aufbau-Ausgabe. Sie enthalten erstmals alle Texte, die in den Umkreis der »Wanderungen« gehören. Reisefeuilletons und Lokalbeschreibungen, Porträtskizzen und Geschichten über das »alte romantische Land« der Mark Brandenburg sind eine wahre Fundgrube für Fans und Forscher.